Frère

Ted van Lieshout

Frère

Traduit du néerlandais par Véronique Roelandt

LA JOIE DE LIRE

Pour Carla, Harry et Albert

Eindhoven
Dimanche 4 mars 1973

Après-midi

Salut Maus,

Ce n'est pas le début. C'est la fin de ton journal intime. Je me suis faufilé dans ta chambre et j'ai fouillé en cachette dans les tiroirs de ton bureau pour retrouver ton journal. Je l'ai ramené en douce dans ma chambre, l'ai ouvert et feuilleté jusqu'à la première page blanche, et puis je me suis mis à écrire. Non, je n'ai pas lu ce que, toi, tu y avais écrit. Juré. Craché. Je crois qu'il existe une loi qui interdit de lire le journal d'autrui sans son consentement. Il y en a peut-être une autre qui dit qu'on ne peut pas écrire dans le journal d'autrui. Mais je le fais quand même.

Le carnaval a commencé aujourd'hui. Non, ce n'est pas une erreur ; je t'entends déjà d'ici : « Comment est-ce possible ? La dernière fois que j'ai regardé le calendrier, on était en septembre. »

C'est possible parce que ça fait déjà six mois que tu es mort, Maus. Cent quatre-vingt-un jours se sont écoulés sans toi, déjà. Demain, c'est ton anniversaire, mais toi, tu n'es pas là. Il n'y a donc rien à fêter. Tu aurais eu quinze ans, mais pour toi le temps s'est arrêté définitivement à quatorze ans. Et moi, je n'ai plus quinze ans. Mon anniversaire, c'était fin janvier comme d'habitude. L'année prochaine, j'aurai, si tout va bien, dix-sept ans et puis dix-huit et dix-neuf. Le temps nous entraîne toujours plus à la dérive, chacun de notre côté, et personne ne peut rien y faire.

Bien sûr, tu veux savoir pourquoi j'écris dans ton journal. Je n'ai rien de mieux à faire ? Non, Maus, rien de mieux à faire. Tu ne penses tout de même pas que je vais fêter le carnaval, maintenant que je n'y suis plus obligé ?

Cet après-midi, à l'heure du goûter, maman a déclaré, l'air de rien, qu'elle te mettait à la porte : « Ah, oui, Luc, demain je vais faire du rangement dans la chambre de Marius, donc si tu veux encore garder quelque chose dans ses affaires, fais-le aujourd'hui. »

« Pourquoi ? ai-je demandé le plus innocemment du monde. Ce n'est pas du tout en désordre. »

« Tu me comprends très bien. Je vais liquider ses affaires. »

« Tu veux dire que tu vas les mettre dans des cartons et les ranger au grenier ? »

« Non, je veux dire que je vais les brûler demain au fond du jardin. »

Comme je pensais qu'elle blaguait, j'ai dit : « Youpi ! on va se faire un p'tit feu ». Mais maman a gardé son air sérieux et j'ai compris qu'elle ne plaisantait pas.

« Pourquoi ? » lui ai-je redemandé.

« Parce que c'est ma façon à moi de lui dire adieu, m'a-t-elle répondu. Mais si tu veux conserver certaines choses de ton frère, n'hésite pas. Et tu mets tout dans ta chambre pour que ça ne traîne pas n'importe où. »

« Tu as vraiment l'intention de tout brûler ? » J'avais du mal à le croire.

« Je fiche tout, mais vraiment tout, dans le feu et je vais le regarder brûler du haut de ma petite chaise. »

« C'est d'un lugubre. »

« Tu peux penser ce que tu veux, ça m'est égal, a répliqué maman. Demain, c'est son anniversaire. Je veux que cette journée soit différente des autres. »

« Chouette cadeau d'anniversaire! ai-je crié, tu fiches toutes ses affaires dans le feu! En détruisant tout, tu fais comme si Marius n'avait jamais existé. »

« Je n'ai pas besoin de ses affaires pour me souvenir tous les jours de lui. »

« N'empêche que je trouve que tu dois laisser sa chambre telle qu'elle est. Pour qu'on puisse au moins y passer cinq minutes quand on en a envie. »

« Je ne veux pas de lieu de pèlerinage dans ma maison, a dit maman. J'en ferai la salle de repassage. Ce sera enfin fini tout ce bazar dans la salle de bains. » Elle a étalé nerveusement un morceau de beurre sur son petit pain, en a raclé le surplus pour le recoller sur la motte dans le beurrier. T'aurais dû voir la tête de papa, mais il n'a rien dit. D'un geste théâtral, il a sorti de sa poche un mouchoir propre qu'il a déplié d'un coup sec puis a ôté de la barquette ce magma de beurre et de miettes. Ensuite, il a soigneusement refermé son mouchoir, emprisonnant le gluant amas, et a remis sans broncher ce petit paquet dans la poche de son costume du dimanche. T'aurais dû voir la tête de maman, mais elle n'a rien dit. Elle s'est coupé quelques tranches supplémentaires de fromage qu'elle a mis sur sa tartine, même si elle sait pertinemment que papa croit au vieil adage qui dit que garnir son pain de deux matières grasses porte la poisse.

La bouche pleine de pain, et de beurre et de fromage, maman a dit: «Quoi qu'il en soit, c'était il y a six mois. Il est temps d'aller de l'avant.» Une fois de plus, sa patience était à bout, et ça se remarque toujours aussi facilement, Maus: elle a avalé sa salive, pris un air impénétrable et d'un geste nerveux, elle a balayé quelques miettes imaginaires de la table. «Lucas, m'a-t-elle dit, on pourrait en discuter des heures mais ma décision est prise. Me séparer de ses affaires est ma façon à moi de lui dire adieu.»

« Et la mienne, alors ? » lui ai-je demandé.

« Quelle est-elle ? »

J'ai haussé les épaules car je n'avais pas vraiment réfléchi à ça ; je ne savais pas que ça se faisait. Elle a évidemment sauté sur l'occasion pour me réduire à néant tout en douceur.

« Trouves-en une, mon garçon. Mais vois d'abord si tu veux conserver quelque chose de ton frère. Pour ma part, tu peux tout transbahuter dans ta chambre, pour autant que tu laisses son bureau tranquille, car interdiction de toucher à ses affaires personnelles. »

« Papa, tu comprends ça, toi ? ai-je demandé. Qu'est-ce que tu en penses ? »

« Laisse-moi en dehors de tout ça, s'il te plaît, a dit papa en agitant la main. Je ne prends pas parti. Je comprends très bien que ta mère veuille poser un acte important pour prendre congé de Marius. Mais ton envie de garder tout ce qui lui a appartenu a également sa logique. »

J'ai demandé à papa ce que lui voulait.

« Nous pourrions mettre tout dans des cartons, a-t-il dit, mais je suis sûr de ne plus jamais les ouvrir. Que ta mère veuille brûler les affaires de

Marius tient un peu du rituel et ça, ça me plaît bien. »

« Je les lui fais parvenir sous forme de fumée », a déclaré maman.

« Maman l'Indienne envoie des signaux de fumée », ai-je dit.

« C'est ça, fais l'ironique, Luc, je m'en fiche pas mal. Je sais que c'est là une chose que tu ne comprends pas. »

« Mais si, je comprends, et je trouve ça plutôt un bel acte, mais puisque tu ne crois pas au ciel, quel sens ça a de vouloir lui faire parvenir ses affaires ? »

« Je n'ai pas la certitude que le ciel n'existe pas. »

« Et moi, papa a pris sa voix solennelle d'homme à l'âge respectable, j'accorde une grande valeur au fait d'affirmer qu'il y a un ciel, aussi vrai qu'il y a un Dieu. »

Maman et moi avons observé quelques secondes de silence en regardant notre assiette, parce qu'une fois de plus, nous n'avions bien sûr pas mis les pieds à l'église aujourd'hui, alors que nous savons que ça énerve papa au plus haut point.

« Mais oui, je suis un vieux con, a dit celui-ci en soupirant bruyamment et en repoussant son assiette. Ce n'est pas nouveau. Continuez à vous chamailler, du moment que vous ne me mêlez pas à vos histoires. » Papa a sorti un gros cigare de la poche de sa chemise et a écouté le bruit qu'il faisait tandis qu'il le portait à son oreille et le roulait entre ses doigts. Oui, Maus, il produisait un beau craquement, nous l'avons lu sur son visage. Papa a pris son coupe-cigares, a coupé les extrémités de son barreau de chaise et l'a allumé avec son briquet en argent. Son siège incliné en arrière et le regard plongé dans l'infini, il s'apprêtait à fumer.

Je ne me suis naturellement pas laissé dérouter par son habituel truc du cigare – je suis là mais je ne suis pas là – et c'est pourquoi j'ai poursuivi à l'intention de maman : « Il n'empêche que par cet acte tu détruis tout. A jamais. En vidant la chambre de Marius, tu commets presque un crime ! »

« Arrête ton numéro, Lucas, m'a dit maman d'un air hautain. Tu nous refais le lac des cygnes pour la énième fois. »

« C'est de toi qu'il tient ce trait pathétique »,
a sorti papa.

« Bien au contraire, ce côté théâtral vient tout
droit de ta famille. »

« Qu'est-ce que tu dis là ! a crié papa. C'est toi
qui veut absolument faire un feu de camp au fond
du jardin. Moi, je descends de pauvres paysans
brabançons qui passaient leur vie dans la vase. »
Mais oui, on connaît la chanson : nous sommes
d'origine modeste et cette villa qui pourrait loger
au moins dix familles est la preuve que nous
avons fait du chemin. C'est pas nouveau.

« La terre d'ici est sablonneuse, donc rien que
ton histoire de vase déjà est absurde », lui a
rétorqué maman à qui on ne la fait plus non plus.

« C'était un vrai déluge, a dit papa d'un air
amusé. Pendant sept longues semaines. Les vaches
flottaient sur l'eau. »

« Il n'a jamais plu ici pendant sept semaines
d'affilée, chéri ! »

« Tu ne sais pas de quoi tu parles, ma douce.
Tu n'étais pas encore née que je passais déjà le
plus clair de mes journées à pomper l'eau des
caves de tout le quartier. »

« C'est ça, a répliqué maman d'un air supérieur, à l'époque des grandes inondations, bien sûr. »

« Je quitte la table, ai-je prévenu. Si vous ne pouvez pas rester sérieux, j'ai certainement mieux à faire. »

« De quoi parlait-on encore ? » a demandé maman, tout en trifouillant dans son paquet de cigarettes.

« Tu voulais traîner Marius sur le bûcher. Voilà de quoi on parlait ! »

Voilà, Maus, maintenant tu le sais : nous ne descendons pas des Gitans, contrairement à ce que maman a un jour essayé de nous faire croire, mais des Indiens. A l'époque déjà, nous ne voulions jamais jouer aux cow-boys parce que nous étions pour les Indiens. Maintenant, nous savons pourquoi. Et demain, on allume un feu de camp indien en ton honneur. Un joli petit feu, chez nous, au fond du jardin.

Regarde en bas, si tu le peux, à travers les nuages, et tu apercevras dans le lointain, une squaw minuscule, teinte en blond doré, envoyer ses signaux de fumée. Lis les messages qui s'élèvent dans les petits ronds gris de taille variée. Si tout va bien, tu déchiffreras les mots suivants : voici-les-affaires-que-tu-as-oubliées.

Essaie de distinguer le visage de cette squaw. C'est maman. Derrière elle se trouve papa, avec ses sabots aux pieds. Observe-les, ils sont dans notre jardin, derrière notre maison dans notre quartier, sur notre continent, sur notre planète, dans notre univers. Ta mère lance un à un des souvenirs en pâture à un petit feu vorace.

Honnêtement, je dois avouer qu'elle a trouvé là un beau moyen pour, comment dire, te faire ses adieux de manière définitive. Elle se détache de toi, la vie doit continuer.

Ce serait formidable, non, si le ciel existait vraiment et si on pouvait t'envoyer des signaux de fumée ? Que l'on puisse recommencer à se parler à l'aide de petits nuages de fumée. Mais toi, tu n'y croyais déjà plus au ciel.

« Quand tu leur demandes à huit heures du matin où est le ciel, ils pointent le doigt vers le haut, avais-tu dit un jour. Pose-leur la même question à huit heures du soir et les voilà qui repointent le doigt vers le haut, mais à cette heure-là, la terre a eu le temps de faire un bon demi-tour sur elle-même, ils montrent donc exactement le côté opposé. Preuve qu'ils ne connaissent pas la réponse et pointent leur doigt au hasard. »

« Peut-être que le ciel est tout autour de nous », t'ai-je suggéré.

« Ça voudrait alors dire qu'il se trouve au-delà de Pluton, et c'est trop loin, as-tu répondu, car si Dieu nous a créés à Son image, c'est que Lui non plus n'arrive pas à voir plus loin que le bout de Son nez. »

Quand maman a dit qu'elle voulait brûler absolument toutes tes affaires, j'ai subitement repensé au journal que je t'avais donné, il y a deux ans, pour ton treizième anniversaire. Je me suis dit : est-ce qu'elle pense le brûler avec le reste ? J'ai fait exprès de ne pas en parler, parce que je ne sais pas si elle se souvient de son existence. Avec un peu de chance, elle l'a oublié. En fait, je trouverais ça affreux qu'elle le jette aux flammes. Ce serait comme si elle brûlait en même temps tes pensées et ça avance à quoi de le faire ?

Voilà pourquoi j'ai subtilisé ton journal qui était dans un tiroir. Subtilisé, car maman m'avait clairement dit de ne pas toucher à tes affaires personnelles. Si je l'ai fait malgré tout, c'est parce que j'ai pris la décision suivante : j'écris dans ton journal pour que mes pensées à moi viennent s'ajouter aux tiennes. Si maman se souvient du journal et veut le brûler, je pourrai le lui interdire parce qu'elle brûlerait en même temps mes pensées ! C'est aussi simple que ça.

Tu vois, Maus, je ne fourre pas mon nez dans ton journal parce que je meurs d'envie de lire ce que tu y as écrit (même si j'en meurs quand même d'envie) : écrire dans ton journal, c'est le sauver. Comme ça, il restera au moins une trace de toi.

Mais voilà, je ne sais pas quoi écrire de plus. A moins que ceci ne suffise déjà ?

Soir

Cher Maus,

Pendant le dîner, j'éprouvais un certain sentiment de supériorité, car papa et maman étaient déjà déguisés pour le carnaval qu'ils fêtaient au bowling et ça leur donnait un air débile. Toujours aussi original, papa avait un costume de paysan, et un vieux gars de soixante-cinq ans qui porte à son cou un mouchoir rouge dont les coins sont tenus par le tiroir d'une boîte d'allumettes, ne peut qu'avoir l'air idiot. Maman a mis une tenue légère qu'elle s'est confectionnée dans une vieille robe de soirée. Elle se prétend déguisée en bergère, mais son décolleté plonge jusqu'à la moitié de son nombril et le bas de sa robe tombe à peu près à la hauteur de sa boîte aux lettres. Bah, gardienne de moutons ou de roustons, au carnaval, on n'y regarde pas de si près. Et puis il faut le dire : pour une femme qui approche la quarantaine, elle a de jolies jambes.

Franchement, j'étais plutôt satisfait de mon petit projet de sauvetage de ton journal et je pensais cet après-midi avoir écrit ce que j'avais à écrire. Du coup, je n'ai pas pu me retenir : avec une fierté de circonstance, j'ai signalé sans hésiter à maman qu'elle ne pourrait pas brûler ton journal, puisque j'y ai couché mes pensées à côté des tiennes.

Quelle réaction décevante… Au lieu de pousser des cris de joie et d'applaudir devant l'ingéniosité de la chair de leur chair, papa et maman se sont fâchés et ils n'ont pas cru que j'avais pu écrire dans ton journal sans en lire la moindre ligne.

« Quoi qu'il en soit, ai-je dit sans me démonter, il n'est plus question de brûler le journal. »

« Pour jouer au plus malin avec moi, il faut se lever tôt, mon petit gars », a répliqué maman.

Elle a croisé sa jambe nue sur son autre jambe nue et j'ai trouvé énervant qu'elle continue à jouer son rôle de mère, malgré son air vulgaire. «Qu'est-ce qui m'empêche de déchirer les quelques pages que tu as écrites et de jeter ensuite le journal aux flammes?»

Je n'ai rien trouvé à répondre et je suis resté obstinément muet pendant tout le reste du repas. Tu sais bien que maman déteste ça, mais garder ma bouche résolument fermée est la seule arme qui me reste quand je n'obtiens pas gain de cause.

Me revoici donc, ton journal ouvert devant moi, puisque je n'ai d'autre choix que d'écrire le plus possible pour qu'à la fin il devienne plus le mien que le tien. Et si cette fichue bonne femme persiste à en déchirer mes pages, il faudra qu'elle le détruise entièrement et je ne pense pas qu'elle en ait envie.

Evidemment, c'est plutôt bizarre de t'écrire et de t'adresser la parole comme si tu allais un jour lire ces lignes. Je ne suis quand même pas débile à ce point. Tu es mort et comme tous les morts qui sont au cimetière, tu te transformes en squelette (si ce n'est pas déjà fait). Je me suis surpris plus d'une fois à essayer de t'imaginer en train de te décomposer, vêtu de tes vêtements préférés, dans l'obscurité de ce cercueil, six pieds sous terre. Combien de temps ça prend pour que le corps intact d'un mort ne soit plus qu'un squelette ? Est-ce une question de semaines ? De mois ? D'années ? Et toi, tu en es où ? Sais-tu au moins que tu es mort et enterré ? L'as-tu remarqué ?

Ça s'est passé il y a tout juste six mois. Le lundi 4 septembre 1972, on était encore en plein été. Quand je suis arrivé à la maison, maman m'attendait, le visage baigné de larmes.

« J'ai quelque chose de grave à t'annoncer », m'a-t-elle dit et j'ai vu qu'elle cherchait désespérément ses mots. Elle a croisé ses bras sur sa poitrine en se pinçant les épaules. J'ai compris qu'elle faisait ce geste pour essayer de se maîtriser. Elle m'a regardé dans l'espoir que je devine de moi-même ses paroles, mais, moi, je voulais les entendre de sa bouche. Elle a détourné le regard et dit d'une petite voix: « Marius est mort à l'hôpital cet après-midi. »

Si je ne sais pas ce que ça fait de mourir, je peux par contre te dire ce que ça fait quand quelqu'un qui a toujours été proche de toi cesse d'exister. Il n'a fallu qu'une seconde pour que la décharge électrique qui s'est manifestée dans mon bas-ventre se répande comme une grande vague jusque dans ma tête. J'ai eu l'impression que mes boyaux se glaçaient d'un coup mais, chose bizarre, ça me brûlait. Plus ou moins la sensation qu'on a quand on met ses mains bleuies par le froid près d'un radiateur, sauf que ça se passe en soi.

Je ne sais plus ce que j'ai dit. En tout cas pas, comme maman dit toujours : « C'est grave, mais ça pourrait être pire, donc tout va pour le mieux. » Rien ne pouvait être pire. Peut-être que je n'ai rien dit. Maman pleurait et je ne voulais pas voir ses larmes. Je me suis enfui de la cuisine, j'ai grimpé les escaliers et je me suis caché derrière la porte de ma chambre.

J'ai pleuré sans bruit, jusqu'à ce que ça me fasse bâiller. Au bout de dix minutes, tout au plus un quart d'heure, mes yeux étaient à nouveau secs. J'ai lavé mon visage à l'eau froide et je me suis posté un instant devant le miroir. Pourquoi ? je n'en sais rien. Peut-être que je pensais avoir changé, maintenant que je n'avais plus de frangin. Mais ce n'était pas le cas.

Le soir, je n'avais plus les yeux rouges alors que maman avait encore le visage bouffi, et le blanc des yeux injecté de sang. Elle avait attendu l'arrivée de mamie pour aller s'enfermer dans la grande chambre à coucher. Nous sommes donc restés tout seuls au salon, mamie et moi, car papa s'était immédiatement retiré bien loin, hors d'atteinte, dans son bureau que l'on était censé appeler cabinet d'étude depuis qu'il est à la retraite. On ne détectait sa présence qu'à l'épaisse odeur de cigare qui glissait sous sa porte.

Profitant de ce que papa était parti aux toilettes, je suis vite allé voir ce qu'il fabriquait. Sur son bureau, entre trois cendriers remplis de mégots, se trouvait un classeur. Il était ouvert à une page en haut de laquelle figurait ces mots : « Dernières volontés ». Une diagonale barrait le texte. De peur qu'il ne me surprenne, je n'ai pas osé lire plus que ce qu'il avait ajouté d'une main ferme : « Jamais songé une seconde que je vivrais plus longtemps qu'un de mes enfants ! »

Je suis retourné au salon en vitesse, profondément honteux d'avoir subitement pris conscience d'être devenu le seul héritier. J'avais l'impression d'être un rapace, une crapule.

Dans les séries américaines diffusées à la télévision, on voit tout le monde tomber dans les bras l'un de l'autre quand quelque chose (ou rien) de grave vient de se produire. Chez nous, ça ne s'est pas passé comme ça. Papa, maman et moi voulions rester tous les trois séparés d'une manière ou d'une autre. Nous nous sommes isolés en choisissant chacun tel ou tel endroit. Nous n'avons pas cherché de réconfort auprès de l'autre. C'était comme si un grand couteau bien aiguisé nous avait tranché la respiration, et il nous fallait un espace où aspirer une bouffée d'air frais. Je pense que nous cherchions en nous-mêmes la réponse à la question : maintenant que Marius n'est plus là, comment devons-nous continuer à vivre ? Car ce qu'il y avait de fou, c'est que la vie s'arrêtait et qu'en même temps, elle continuait. La terre n'avait pas cessé de tourner et le soleil ne perdait pas son éclat. Pourtant, le monde s'est écroulé le jour de ta mort, plus exactement le monde tel que tu le voyais à travers tes yeux.

Mamie a préparé le repas, mais papa et maman n'ont pas voulu venir manger. Elle-même a affirmé qu'elle n'avait plus faim à force d'avoir goûté aux plats. Pour qu'elle n'ait pas cuisiné pour rien, je me suis forcé à avaler quelques bouchées.

Pendant toute la soirée, j'ai couru de haut en bas et de bas en haut pour écouter aux portes derrière lesquelles papa et maman se cachaient; c'est que j'étais un peu inquiet, car si tu étais mort, on pouvait tout aussi bien y passer, nous aussi!

A part ça, on est resté près du téléphone et de la porte, mamie et moi, pour envoyer promener tous ceux qui voulaient nous dire combien tout cela était grave, comme si on ne le savait pas. Et quand les enveloppes sont arrivées, on a écrit les adresses dessus et collé les timbres.

Une seule fois, maman est sortie de sa chambre pour chercher une bonne bouteille de vin rouge dans la cave de papa. J'ai vu sur l'étiquette que c'était un millésime 1958, l'année de ta naissance.

Mamie a même pensé lui demander : « Tu n'as pas besoin d'un verre, ma grande ? »

« Non, je veux m'enfiler une bouteille à 500 florins, a dit maman. Me la descendre au goulot en regardant la télévision. Et chialer parce que la conne de gauche lave plus blanc que celle de droite. » Maman était plantée là dans son long peignoir bleu (tu sais, celui qui nous embarrasse tant parce qu'il laisse voir ses tétons) et elle me faisait penser à la statue de la Liberté de New York. Sa main droite empoignant le col de la bouteille comme si c'était un flambeau qu'elle allait pointer en l'air à tout moment.

« Tu crois que papa est d'accord ? » Je tendais le doigt vers la bouteille poussiéreuse.

« Je n'ai pas besoin de son autorisation, a-t-elle rétorqué, et d'ailleurs, il n'en saura rien. »

« Tu vas te saouler ? » lui ai-je demandé tandis que mamie trottait pour la énième fois jusqu'à la porte d'entrée.

« C'est pas avec une bouteille de cinq cents florins qu'on se bourre la gueule, mon chou, on en devient tout au plus un peu pompette. »

« Pourquoi est-ce que tu ne viens pas nous rejoindre en bas ? »

« Parce que je veux picoler tout seule et me sentir mal. »

« Moi aussi, je me sens mal. »

Je n'ai pas apprécié sa réponse, parce que c'était établir une gradation dans le chagrin : « Bien sûr, tu as aussi de la peine, mais j'en ai plus que toi parce qu'aujourd'hui j'ai perdu mon fils. »

« J'ai autant de chagrin que toi, parce que j'ai perdu mon frère », ai-je dit.

« Le chagrin d'une mère est plus grand que celui d'un frère. »

C'est sorti tout seul : « Ça ne peut pas être vrai, car tu es toujours la mère de quelqu'un alors que moi je ne suis plus le frère de personne. »

Maman est restée un instant décontenancée mais tu sais comment elle est : « C'est malgré tout plus grave pour une mère que pour un frère. Je suis sa mère et je l'ai mis au monde. Et d'ailleurs, je l'ai connu plus longtemps que toi. »

« Nous l'avons connu tous les deux aussi longtemps l'un que l'autre », ai-je dit.

« Tu ne peux pas te souvenir des premières années de Marius. Tu n'avais que treize mois quand il est né. » Elle a esquissé un sourire et j'ai compris qu'elle avait l'intention d'avoir le dernier mot.

« Pendant la plus grande partie de ta vie, tu n'as pas connu Marius, alors que moi, je n'ai jamais eu de vie dans laquelle il n'existait pas », lui ai-je dit le plus sérieusement du monde parce que je le pensais sincèrement.

« Ah, mon chou, arrête ces inepties, tu veux ? Je n'ai vraiment pas la tête à ça. J'étais seulement descendue deux minutes pour prendre cette bouteille. » Maman a résolument tourné les talons, a relevé son peignoir pour ne pas trébucher sur l'ourlet et a quitté la pièce en traînant les pieds.

Je voulais encore lui crier quelque chose, mais je me suis tu parce que mamie est réapparue dans la pièce. Elle pique d'office une crise de nerfs quand elle nous entend nous chamailler, maman et moi (il y a quelque temps, elle s'est fâchée tout rouge et elle a sorti : « Vous êtes tous les deux de la même farine : un poison et une peste. »

Nous avons ri aux éclats tant c'était comique d'entendre ça dans la bouche de mamie).

Maman théâtralisait son chagrin et papa le dissimulait sous sa carapace. Un ou deux jours plus tard, tandis que je portais les vieux journaux au garage, papa se trouvait là dans un coin en train de chialer. Il était tellement furieux d'être pris sur le fait, qu'il m'a chassé en faisant des moulins avec son bras. J'ai eu envie de me fâcher, mais je suis parti sans broncher, sans jamais évoquer cette scène. Oui, c'est un grand secret que les pères savent pleurer.

Plus tard, ils ont mis ton corps dans un cercueil et ont enterré ce cercueil au cimetière. Là, on t'a fait cadeau d'une pierre grise, plate, en marbre lisse. SA VIE AURA ÉTÉ NOTRE BONHEUR peut-on y lire. Du cru de maman. Au milieu, on a gravé MARIUS en grand, et en dessous, en des lettres plus petites, MARINUS THOMAS suivi de notre nom de famille, et pour terminer les faits: 5 MARS 1958 – 4 SEPTEMBRE 1972.

Ta tombe est la seizième de la rangée. Depuis lors, des marbriers ont également posé une pierre sur les tombes qui précèdent et suivent la tienne, ce qui me permet au moins de te dire que tu as désormais une vieille voisine et un vieux voisin. Elle s'appelle Petronella Rademaker et elle est décédée à l'âge de quatre-vingt-dix ans; l'autre, c'est Johannes van Aalst, mort à quatre-vingt-quatre ans. Eh oui, Maus, tu n'es ni le premier ni le dernier à mourir sur cette terre.

J'ai longé les pierres tombales de ton allée en regardant avec curiosité les dates et j'ai constaté qu'il n'y avait pratiquement que des personnes âgées. J'ai senti un pincement en moi. Parmi toutes ces vieilles personnes se trouve un seul garçon de quatorze ans. Que fait-il là, au milieu de petits vieux? J'ai additionné tous les âges et divisé le tout par le nombre de morts et, Maus, bonne nouvelle: tu as tout de même vécu soixante-neuf ans en moyenne!

Tu trouves que c'est une remarque basse? C'est la faute de ta mère, alors. Depuis notre plus tendre jeunesse, elle nous a enseigné que tout était relatif. Quand je m'amochais le genou pour la énième fois et que j'arrivais vers elle en pleurant, sa réponse était toute prête: «Oui,

Luc, c'est grave, mais moins que de perdre une jambe. » Et quand tu as dû, à contrecœur, porter des lunettes à cause de tes migraines, elle a dit : « C'est moins grave que de perdre un œil. »

Est-ce que tu te souviens encore du temps où maman nous chargeait de cueillir les cerises pour faire les bocaux ? Nous avions sept ou huit ans. Moi, dans l'arbre et toi, sur l'échelle appuyée contre l'arbre. Ces cerises étaient d'un beau rouge tellement luisant qu'on ne se contentait pas de se les suspendre aux oreilles : on en mangeait. Sans songer une seconde au fait que c'étaient des griottes pour faire de l'eau-de-vie.

A un moment, nous nous sommes demandés pourquoi maman nous laissait cueillir des cerises aigres, alors qu'elle savait très bien que nous en mangions à en avoir mal au ventre. Nous estimions qu'il était grand temps de découvrir si, oui ou non, maman nous aimait.

Nous sommes descendus de l'arbre et sommes allés la trouver ensemble pour lui poser la question que nous avions préparée : « Maman, s'il y a le feu en pleine nuit et que tu dois sauter par la fenêtre, qu'est-ce que tu prends avec toi ? »

« Ça dépend, a-t-elle répondu. Est-ce que je suis seule dans le lit ou est-ce que papa est à côté de moi ? »

Nous nous sommes regardés car nous ne comprenions pas ce que ça changeait à l'affaire.

« Tu ne peux pas nous répondre ? »

« Si, a dit maman. Si papa est à côté de moi et qu'il y a le feu, je le saisis par la cheville, l'expédie dans la vitre pour la briser, et saute dans le filet des pompiers avec vous dans mes bras. »

Ça a fait rire papa et nous n'avons pas compris pourquoi.

« Si papa n'est pas à côté de moi, a poursuivi maman, alors, je vous prends tous les deux par la cheville, je casse la vitre et saute moi-même dans le filet de sécurité. Je réponds un peu à votre question ? »

« Ça peut faire l'affaire, oui », avons-nous répondu et nous sommes sortis indécis pour en discuter entre nous. Nous sommes arrivés à la conclusion que maman tenait le plus à sa propre personne, ensuite à nous, et le moins, à papa. C'était grave que nous ne soyons pas ses préférés, mais ç'aurait été pire si elle avait aimé papa plus que nous, il n'y avait donc pas de quoi se plaindre. C'était grave, mais ça aurait pu être bien pire, donc tout allait pour le mieux.

Quand tu es mort, Marius, personne parmi nous n'aurait pu trouver quelque chose qui soit plus grave. Car la mort, c'est quelque chose qu'on ne peut pas relativiser. Maman n'a pas dit : « C'est grave que Marius soit mort, mais il me reste heureusement un autre fils, donc je suis toujours une maman. »

On appelle veuf l'homme qui perd sa femme, veuve, la femme qui perd son mari, et les enfants sans parents sont des orphelins. Comment s'appelle donc le frère qui n'a plus de frère (ou de sœur) ? Il n'y a pas de nom pour ça. Je ne saurais pas en tout cas dans quelle langue le chercher. Mais peut-on encore être le frère de quelqu'un qui a cessé d'exister ?

En fait, ça n'a plus aucune importance. Une mère doit materner, un père, paterner et un frère, "fraterner". Et il n'y a plus rien à "fraterner", donc autant ne plus être frère. Comme frère, je n'étais quand même pas bien terrible. J'étais un frère de rien du tout : je te laissais souvent seul alors que je savais que tu ne supportais pas ça. Il n'empêche que j'aimerais bien avoir une réponse à ma question de savoir si je suis encore un frère, à présent que tu n'es plus là. Qu'est-ce que tu en penses, toi ? Ou est-ce que ça t'est devenu égal ?

Soir

Cher Maus,

J'ai saisi mon stylo et ton journal et c'est dans ta chambre que j'écris à présent, car je me suis tout à coup rendu compte qu'après cette soirée, ce ne sera plus possible.

Je me suis installé à ton bureau en faisant très attention, car j'étais un peu anxieux à l'idée que toutes tes affaires (ton lit, ton bureau, ta chaise, les livres sur l'étagère, les photos et les cartes géographiques sur le mur) allaient peut-être se précipiter de rage sur moi: «Tu es en zone interdite! Va-t'en! Retourne dans ta chambre!» Ce qui ne serait qu'un juste retour des choses quand on pense que je te chassais à chaque coup, les nombreuses fois où tu rentrais dans ma chambre sans y être invité. Un de ces moments hante parfois ma mémoire ces derniers temps.

C'était en 1970, la date indiquée au dos du dessin auquel je travaillais lorsque tu es entré dans ma chambre. Tu te souviens, celui de l'arbre que tu m'as demandé plus tard pour ton anniversaire. Ce n'est pas ce qui a tant occupé mon esprit, car moi aussi, je le trouvais magnifique. Je t'ai dit : « Je ne te le donne pas, mais tu pourras en hériter à ma mort. » J'ai quand même fini par te le donner par la suite.

A ce moment-là, j'y travaillais encore, tu ne pouvais donc évidemment pas le voir ; je ne laisse jamais personne regarder un dessin qui n'est pas terminé. Je l'ai donc caché en mettant mes bras autour de la feuille et j'ai d'emblée pris un ton brusque pour que tu saches que tu n'étais pas le bienvenu : « Qu'est-ce que tu viens faire ? »

« Rien de spécial, as-tu répondu, je viens juste te rendre une petite visite. »

« Juste comme ça ? Je suis occupé. »

« Qu'est-ce que tu fais ? »

« Je dessine. »

« C'est ça, tu es sûrement encore en train de décalquer quelque chose », as-tu dit pour m'agacer et tu t'es installé sur mon lit. J'avais ça en horreur parce que mon lit n'est pas un endroit pour le cul des autres, j'ai donc répliqué : « Tu ne peux pas aller embêter quelqu'un d'autre ? »

« Je ne fais rien de mal que je sache ? Je suis assis. »

« Et je ne supporte pas ça, parce que tu m'espionnes. Pourquoi tu ne fais pas quelque chose, toi ? »

« Quoi ? »

« Va lire un livre ou, je ne sais pas moi, jouer à touche-pipi. »

« Oh, tu veux dire que je te dérange parce que toi, tu veux jouer à touche-pipi ? Dis-le alors. »

« Je veux jouer à touche-pipi. O.K. ? »

« Je m'en vais. »

« Bien. »

« Qu'est-ce que tu peux être con. »

Quand je t'avais pratiquement mis dehors, je t'ai dit : « Désolé Maus, mais je suis vraiment occupé. C'est gentil d'être passé. » Oui, j'étais hypocrite à ce point, et tu n'étais pas dupe.

« Pourquoi tu ne deviens sympa avec moi que lorsque je m'en vais ? »

« Ça n'a rien à voir avec toi. J'aime vraiment être seul. »

« Moi pas, mais tu t'en fiches complètement. »

Effectivement, Maus, je m'en fichais complètement. Qu'est-ce que j'en savais que tu allais mourir. Ce n'est qu'à ta mort que j'ai eu des regrets parce qu'il n'y avait plus rien à faire. Et du même coup, je m'en voulais aussi pour toutes les fois où je m'étais fâché parce que tu étais une fois de plus au w.-c. quand il fallait laver la vaisselle. Pour ne citer qu'un exemple. J'en ai eu beaucoup des regrets, surtout au début.

N'empêche que, d'après moi, les autres frères se comportent entre eux exactement comme nous. A cette différence près que ces frères-là vivent encore et nous plus. Enfin, je veux dire évidemment que toi, tu ne vis plus, mais moi, oui.

On dirait que ta chambre attend en silence que tu ouvres la porte et entres, pour que tout, pour que la vie reprenne son cours. Ça fait si longtemps qu'elle attend pour rien, ta chambre.

Il faut dire que je ne la connais pas bien. Je n'y allais pour ainsi dire jamais de ton vivant (et ces six derniers mois, je n'ai fait qu'y passer en coup de vent pour vérifier un truc dans un de tes atlas ou emprunter un disque). Mais je vois bien que rien n'a changé. Les murs sont toujours couverts de photos du *New Musical Express* et, surtout, de cartes géographiques, anciennes ou récentes.

Je ne sais plus très bien quand t'a pris cette folie ; Alex habitait encore dans notre quartier quand il t'a transmis le virus de l'atlas. Du jour au lendemain, tu t'es mis à clamer que tu voulais devenir explorateur, même si – les cartes en étaient la preuve évidente – il n'y avait plus rien à explorer. Et combien de fois ne vous ai-je pas vus, Alex et toi, allongés tous les deux sur le sol, vos index parcourant le monde entier sur les pages de l'atlas ?

Demain toutes ces cartes se retrouveront dans les flammes. Elles étaient importantes pour toi, mais ta mère flanque tout le bazar au feu. Idem pour toutes les autres petites choses que tu avais conservées. Elles ont perdu leur valeur le jour où tu es mort.

Honnêtement, j'aurais du mal à dire ce que j'aimerais conserver de toi. J'ai déjà ce qu'il y a de plus chouette. Un souvenir qui date de tes douze ans. Celui-ci. Maman et moi étions sur le canapé en train de regarder un documentaire sur l'Indonésie à la télévision. Tu as pris le grand atlas dans l'armoire, tu t'es confortablement allongé à nos pieds et tu l'as ouvert à la page de l'Asie du Sud-Est. Tu ne montrais aucun intérêt pour les images de la télévision, mais s'apercevoir que sur cette carte à l'échelle 1 : 13 500 000, il n'y avait que deux millimètres d'eau entre Sumatra et Java, ça, au moins, c'était intéressant. Et impossible de te faire taire : « Maman, comment ça se fait que la Malaisie se compose de deux morceaux très éloignés l'un de l'autre, et qu'une partie est attachée à Bornéo ? Logiquement, l'autre morceau devrait aussi faire partie de l'Indonésie, même si ce n'est pas une île. Et que fait Singapour là-bas ? A qui ça appartient ? C'est une ville, un pays ou les deux ? Et pourquoi est-ce qu'ils n'ont pas creusé un canal de Panama dans cette fine presqu'île de Birmanie et de Malacca ? A présent, ils sont obligés de faire un immense détour. »

« On regarde l'émission », a fait remarquer maman.

« Tu sais toi, Luc ? »

« Le canal de Panama se trouve en Amérique centrale. »

« Ça, je le sais bien, idiot. Je veux évidemment dire un canal c-o-m-m-e celui de Panama ».

« Quoi qu'il en soit, a dit maman, on aimerait bien suivre l'émission. Tu devrais voir comme c'est beau le Borobudur. Regarde. »

Mais tu n'as pas regardé, car tu venais de faire une nouvelle découverte.

« Dis, maman, il y a une ville aux Philippines, près de la baie de Sarangani, qui s'appelle Glan. C'est autorisé par les Nations Unies ? »

Tu étais parvenu à dire bien fort, sans risquer d'être réprimandé, un mot qu'il était interdit de prononcer sous notre toit. Et qu'est-ce que nous avons ri les fois où nous avons innocemment demandé à papa (à notre père !) si nous allions en vacances à Glan cette année. N'était-ce pas fabuleux de pouvoir lui expliquer, à lui qui disait tout savoir, que Glan n'était pas un vilain mot, mais une ville des Philippines qui existait vraiment ? Même maman en a ri avec nous.

J'ai besoin de ce genre de souvenirs, Maus. Le type d'anecdotes qui se gravent dans ta mémoire à force d'être répétées. Tu serais étonné de voir tout ce que j'ai oublié à ton sujet. J'ai d'abord pensé que je t'oubliais volontairement, peut-être pour mieux m'habituer au fait que tu n'es plus là. Mais ce n'est pas quelque chose de volontaire. C'est accidentel. Je l'ai remarqué un beau jour. J'essayais de me souvenir du son de ta voix et je ne la retrouvais nulle part dans ma tête. Partie. Disparue. Volatilisée. J'en étais presque affolé, car je tenais tant à la retenir. Je ne comprenais pas comment je pouvais me souvenir de ton visage et non de ta voix.

C'est en fait assez évident. Quand j'essaie de me souvenir de toi, je te revois vaguement errer dans la maison. Je ne vois pas ton visage, mais j'aperçois parfois, un très bref instant, ta main ou ton pied (c'est toujours celui à la cicatrice, souvenir du fer à repasser qui t'était tombé dessus). Pour voir ton visage clairement, il faut que je repense à une photo. Une des photos de l'album. J'ai besoin de cette antisèche pour te voir avec netteté. Et comme il n'existe aucune photo de ta voix, même pas un enregistrement, je ne peux me raccrocher à rien. Tu comprends ? Oublier se fait par accident.

Voilà pourquoi il est important que subsiste le plus possible de choses te concernant. Elles m'aident à continuer à te voir clairement, à garder en mémoire qu'autrefois tu avais une vie dans laquelle tu pouvais être heureux. C'est une raison de plus pour que ton journal continue à exister. Si maman brûle tout, absolument tout, et que si quelqu'un devait prétendre que tu n'as jamais existé, alors moi j'aurai la preuve en main que tu as, bel et bien, vécu et pensé.

J'ai ouvert la porte de ton placard si brusquement que tes vêtements se sont presque envolés. Dans la panique, quelques cintres vides se sont entre-choqués.

J'ai regardé tes vêtements et j'ai pensé en secouant la tête : quel dommage, le garçon qui les enfilait a filé. Je trouvais ça plutôt pas mal comme trouvaille. Puis j'ai eu une idée farfelue, enfin, pas si folle quand on pense que c'est carnaval et que dehors tout le monde est déguisé. J'ai décidé de me faire mon petit carnaval.

Je me suis déshabillé et j'ai passé tes vêtements : ton jeans usé parce que c'est encore là qu'on voit le mieux que le gamin qui l'enfilait a filé, et ton pull bleu troué à l'emplacement de tes coudes.

On pourrait croire que les frangins qui n'ont que treize mois de différence peuvent entrer sans problèmes dans les vêtements de l'autre. Nous pas. Dès treize ans, tu t'es mis à grimper comme une pousse de bambou tandis que j'avais l'air de refuser de grandir. Maintenant j'ai seize ans et toi, tu as toujours quatorze ans mais tes coudes et tes genoux continuent à m'arriver trop bas. Je dois retrousser au moins deux fois les jambes de ton pantalon pour qu'on voie apparaître le bout de mes pieds. J'arrive facilement à fermer le bouton, mais la braguette ne monte pas jusqu'en haut parce que "dans ton enveloppe charnelle", j'ai un cul bien trop gros (ou une quéquette trop grande, c'est possible aussi). Ça tire aussi au niveau des épaules et des cuisses. Tu serres, Maus. N'est-ce pas magnifique ? Je te garde sur moi. En cette période de carnaval, me voilà déguisé en mon petit frère.

Ton tourne-disque fonctionne encore. J'osais à peine le mettre en marche car ta chambre baigne dans le calme depuis si longtemps. Mais quand j'ai appuyé sur le bouton, la lampe s'est allumée et le tourne-disque s'est mis tout naturellement en marche.

J'ai pris ta pile de 33 tours pour voir si, par hasard, il y en avait que je voulais conserver. Ah, il y avait *Clouds* de Joni Mitchell. J'ai sorti le disque de sa pochette et l'ai mis sur ta platine. Ça faisait longtemps qu'une telle musique n'avait pas retenti dans ta chambre.

Si demain, les signaux de fumée de maman te parviennent et que tu ne vois pas de traces de ce 33 tours, sache alors que tu me l'as prêté pour toujours.

There's a sorrow in his eyes
Like the angel made of tin
What will happen if I try
To place another heart in him

Soir

Cher Maus,

Me revoilà dans ma chambre. Je ferais mieux de dire que j'ai déguerpi de la tienne. J'ai entendu la porte d'entrée et les voix de papa et maman dans le vestibule. Ils rentraient du bowling, d'une de ces manifestations carnavalesques très comme il faut, et je ne voulais pas qu'ils remarquent que j'étais en train d'écrire dans ta chambre.

Je n'ai même pas eu besoin d'écouter en haut de la cage d'escalier, Maus, car nous savons tous deux très bien comment ça se passe quand ils reviennent d'une soirée. Papa est descendu à la cave pour y chercher une bonne petite bouteille de vin. Maman a inspecté les verres en cristal et redonné un énième coup de torchon aux plus beaux. Ils prolongent leur soirée au salon. Je parie sur un bourgogne, une petite cigarette et un barreau de chaise. Et une fois le cigare fumé, les lampes du rez-de-chaussée s'éteindront et, dans leur chambre où les attend le cognac, d'autres s'allumeront. Ta mort a beau avoir tout changé, tout est en même temps resté pareil.

Je veux faire comprendre à maman que j'ai rempli tellement de pages de ton journal qu'il est maintenant plus le mien que le tien. Qu'il lui faudra le détruire entièrement pour arriver à m'en déloger.

Mon idée est de me diriger comme par hasard vers ta chambre quand maman monte l'escalier. Elle va me demander ce que je fabrique là et moi je lui ferai savoir, l'air de rien, que c'est moi qui ai remporté l'enjeu de la compétition qui nous opposait : ton journal.

Pour être honnête, le retour de papa et maman à la maison n'était pas la seule raison qui m'a fait déguerpir de ta chambre. Ça faisait cinq fois que sortait de tes baffles : « What will happen if I try to place another heart in him. » Et qui était planté là dans ton pull et ton pantalon à essayer d'enfouir son cœur dans tes vêtements, à essayer d'être toi ? Mais je ne suis pas toi et ne peux le devenir. J'étais un vulgaire intrus qui devait immédiatement débarrasser le plancher. Et ça n'a pas loupé, ce fichu sentiment de culpabilité a repointé son nez : quand on pense que tu n'as pas pu vivre plus de quatorze ans, il y a de quoi se révolter, non ?

Heureusement que ce n'est plus tout à fait aussi fort qu'au début. A ce moment-là, je me suis senti tellement coupable de ta mort. Pas parce que c'était de ma faute, mais simplement parce qu'un frère plus jeune qui meurt, ça ne se fait pas. L'aîné a vécu le plus longtemps, c'est donc à lui de partir en premier. On lit ça dans tous les contes. C'est comme ça que ça se passe : le mauvais (l'aîné, laid et méchant) doit mourir pour que le bon (le cadet, joli et gentil) puisse être heureux. Mais il était hors de question que je meure, que je devienne un héros pour toi. Tu es mort et j'ai laissé les choses se faire. En simple témoin, en simple spectateur.

Oui, je sais bien que ça ne sert à rien de me sentir coupable et je ne me laisse pas non plus ronger par la honte, mais cette question qui me trottait alors constamment par la tête, je n'ai jamais osé la poser à papa et maman : n'auraient-ils pas préféré que je meure, moi, plutôt que toi ? Bête, hein ?

Je n'en garde pas moins tes vêtements sur moi. Parce que tu me serres si agréablement.

Soir

Papa et maman sont dans leur lit en train de regarder un film sur une chaîne étrangère. Un western où les cow-boys gueulent en anglais : « When you have to shoot, shoot, don't talk. »

Dès que j'ai entendu maman monter les escaliers, j'ai ouvert ma porte et me suis dirigé vers ta chambre d'un pas décidé.

« Qu'est-ce que tu fais, mon bonhomme ? m'a demandé maman. Tu ne devrais pas être couché ? »

« Je n'ai pas école demain. »

« Je sais, mais tu n'as pas oublié ton rendez-vous chez l'ophtalmo, j'espère ? »

« Bien sûr que je n'ai pas oublié », ai-je dit.

« Tout ira pour le mieux, tu verras », a dit maman. Elle a caressé ma joue du dos de la main. Elle fait ça très souvent et ça part d'un bon sentiment, mais elle oublie toujours que le diamant de sa bague griffe ce qu'elle touche.

« Qu'est-ce que tu vas faire dans sa chambre ? »

« Je vais m'assurer que j'ai bien pris tout ce que je veux garder et, ah oui, j'ai écrit tellement de choses dans le journal de Marius qu'il est devenu plus le mien que le sien. Ça ne rime donc plus à rien d'en déchirer mes pages. A moins que tu ne veuilles le détruire complètement. »

Elle a penché sa tête avec coquetterie, a esquissé un sourire et m'a dit avec malice : « Mais alors, mon chéri, il m'est toujours possible de déchirer les quelques pages de ton frère ? Combien y en avait-il encore ? »

J'ai roulé des yeux à la va-te-faire-foutre. Puis, je suis rentré dans ta chambre et j'ai allumé la lumière. Maman m'a suivi. « C'est ça mon garçon, prends-moi pour une fêlée, a-t-elle dit calmement. Du moment que tu comprends que tu m'as joué un sale coup en chipant le journal de ton frère. Je t'avais formellement interdit de toucher aux affaires de son bureau et tu l'as quand même fait. »

« Et alors ? »

« Son journal est confidentiel. Tu n'as pas à y toucher. »

« Je n'ai rien lu du tout. »

« La question n'est pas là. Je ne me trimballe pas non plus avec ton journal sous le bras, que je sache ? »

« Comment sais-tu que j'ai un journal ? » lui ai-je demandé avec méfiance.

« Je le sais, m'a-t-elle répondu, parce qu'un jour, tu as crié comme un hystérique que tu avais écrit toute la vérité sur moi dans ton journal pour que tout le monde sache, après notre mort, quelle fichue mère j'étais. »

« C'est la pure vérité », ai-je remarqué calmement.

« Du moment que tu comprends qu'une fichue mère a aussi son utilité, a dit maman avec le petit ricanement de quelques verres de sherry et de vin. Si j'avais été une adorable maman, je n'aurais jamais décroché la moindre ligne dans ton journal ! Mais grâce à moi, tu as de quoi écrire. » Puis elle s'est retournée et a voulu se diriger vers la porte. Son regard a été attiré par un cadre retourné contre le mur et elle l'a décroché. C'était le dessin de l'arbre, de 1970.

« Tu n'oublieras pas de le reprendre dans ta chambre ? »

« Ce dessin, je l'ai donné à Marius, il ne m'appartient donc plus. Tu n'as qu'à le brûler demain. »

« Sois un peu raisonnable, a dit maman. Imagine que tu doives présenter l'examen d'entrée aux beaux-arts, ce serait quand même dommage de ne pas pouvoir le leur montrer, non ? »

« Ça ne change rien au fait que je ne veux plus de ce dessin », ai-je dit.

Maman a haussé les épaules, a remis le cadre au mur, dessin vers nous, et a fait mine de sortir. Elle avait déjà la poignée en main quand elle s'est retournée une dernière fois. « Ah et puis, chéri ? »

« Oui ? »

« Tu attends encore de la visite ce soir ? »

« Non, pourquoi ? »

« Ta braguette est grande ouverte. »

J'ai piqué un fard, mais maman ne l'a pas remarqué parce qu'elle avait heureusement déjà quitté la pièce. Ensuite, j'ai retourné le dessin contre le mur, car je ne veux plus jamais le voir.

Maus, ça t'ennuierait que je lise ce que tu as écrit ? Tu trouverais ça comment ? Très grave / moyennement grave / pas grave du tout / pas dérangeant ? Tu vois, si j'écris sur les pages que tu as remplies, entre les lignes et les mots, et dans les marges, et partout où il y a de la place, maman ne pourra plus séparer ma partie de la tienne. Et comme ça, je sauve ton journal, car il faut qu'il survive. Tout le reste, les photos, les choses aux murs et tes habits disent seulement que tu as existé, mais pas de quelle façon, ni ce que tu as pensé et ressenti. En tout cas, pas avec des mots. Voilà pourquoi maman ne doit pas mettre ses pattes sur ton journal. On ne peut pas laisser tout ça disparaître sous le seul prétexte qu'elle veut protéger ta vie privée jusque dans la mort. Toi aussi, tu veux qu'il subsiste quelque chose de toi sur cette terre, Maus ? Tu comprendras alors qu'en écrivant entre les lignes, je ne puisse

pas m'empêcher de lire ce qui s'y trouvait déjà ?
Maus, il me manque ton consentement pour
pouvoir lire ce que tu as écrit et pourtant je le
fais, même s'il existe une loi qui l'interdit. Et je
dois avouer sincèrement que j'en ai très envie.

Minuit

Joyeux an-ni-ver-sai-re, joyeux an-ni-ver-sai-re, joyeux an-ni-ver-sai-re, Maus, joyeux an-ni-ver-sai-re. Mes vœux les plus sincères, Maus, car la journée du lundi 5 mars vient juste de commencer. Ça t'aurait fait quinze ans. J'ai éteint la lampe et allumé quelques bougies. En ton honneur, Maus. Et même s'il n'y a pas de fête, je suis venu te rendre visite.

[Vendredi, 5 mars 1971] J'ai treize ans aujourd'hui.

Encore une fois : bon anniversaire, Maus, même s'il date d'il y a deux ans.

Le cadeau le plus chouette que j'aie reçu – de papa et maman – c'est une toute vieille carte du monde du temps où tout n'avait pas encore été découvert. Ce n'est pas la carte originale mais une copie, donc sans grande valeur en soi. N'empêche, c'est quand même chouette que maman ait pris la peine d'essayer de la dénicher.

A l'époque, il était encore possible de sillonner les mers et de tomber par hasard sur la côte américaine – ce n'était pas une véritable « découverte » puisque des gens habitaient à cet endroit depuis des lustres et que c'était eux qui l'avaient trouvée en premier.

Oui, les Indiens étaient là avant Colomb. Et nous en sommes les descendants.

J'ai lu qu'ils étaient arrivés là, il y a bien longtemps, après avoir marché sur la glace de la Sibérie en Alaska. Mais récemment, ils ont montré à la télévision que le monde n'a pas toujours été comme il est, ce qui veut dire que les gens se sont peut-être répandus d'une tout autre façon sur notre planète. Jadis, tous les continents tenaient ensemble sur une seule motte de terre et cette partie du monde s'appelait la Pangée – du grec

"Pangaea" *qui signifie quelque chose comme "terre unie".*

Enfin non, à l'époque, elle n'avait pas de nom, car au tout début, il y a des millions d'années, il n'y avait pas encore d'êtres humains, ou s'il en existait déjà, ils n'avaient pas de langage écrit. Ou s'ils mettaient des choses par écrit, on n'en a pas retrouvé de traces. En tout cas, l'Europe occidentale n'était pas en bord de mer mais contre l'Amérique, et l'Angleterre n'était pas encore une île. Puis, un jour, pour une raison ou une autre, la Pangée s'est cassée en morceaux et au fil du temps, les continents ont dérivé, chacun de leur côté.

Exactement comme nous. Nous aussi nous dérivons chacun de notre côté, tout comme les continents de la Pangée. Tu as pour toujours quatorze ans et moi, que je le veuille ou non, j'ai déjà atteint le cap des seize ans.

Donc, en supposant qu'il existait déjà des êtres humains à l'époque, des Néandertaliens par exemple, il est tout à fait possible qu'ils habitaient déjà où ils habitaient et que cette dérive les aient séparés et que, donc, ils n'aient pas tous dû marcher pendant des jours pour fonder une nouvelle peuplade sur un autre continent. Et, chose particulière, ces continents continuent à dériver ! Donc un jour, dans un lointain, lointain avenir, ils se percuteront mais alors tout sera inversé, puisque ce qui était autrefois la côte de la Pangée se comprimera en créant des montagnes, comme ça s'est passé lorsque l'Inde a percuté l'Asie en donnant naissance à l'Himalaya. Et ce qui était autrefois une ligne de faille deviendra littoral. L'Orient deviendra l'Occident et l'Occident, l'Orient. Et le Japon formera une haute montagne entre l'Asie et l'Amérique. Ce qui posera un gros problème. Car ce qu'on appelle "pays du soleil levant" pourra-t-il encore porter ce nom, s'il n'est plus une île en pleine mer mais un espèce de monticule entre la Sibérie et les Rocky Mountains ? Je pense qu'à partir de ce moment-là, le soleil ira se lever ailleurs, même si je ne sais pas où.

De mamie, j'ai reçu un abonnement au New Musical Express, puis j'ai aussi eu des bons d'achat pour des disques, et de Luc, ce journal intime. Mais où a-t-il été pêcher cette idée ?

Eh.

Je n'ai jamais demandé de journal intime et je n'ai pas du tout l'intention d'en tenir un.

Ça ne me surprend pas vraiment, Maus. Difficile de ne pas remarquer en feuilletant ton journal que tu n'y as pas écrit grand-chose.

Je crois que Luc veut que je concentre mon attention sur l'écriture pour que je ne pense plus au tremblement de mon petit doigt – ce qui est bête du reste, parce que c'est le petit doigt de ma main gauche qui tremble et que j'écris avec la droite!

Mais tout de même, un journal… J'ai crié: «Oh, super, un journal intime!» Mais il est hors de question que je me mette à tenir un journal, car je n'aime pas écrire, alors je vais vite raconter comment s'est passé mon anniversaire: nous avons mangé du poulet et rien d'autre, ce qui m'évitait de devoir me nettoyer les doigts entre deux os à ronger, et je suis allé au cinéma avec la moitié de la classe. C'était chouette et maintenant basta. Voilà, ici se termine mon journal intime.

Dommage que mon cadeau ne t'ait pas plu, mais je ne te l'ai pas offert pour cette raison-là.

Je me souviens de ce moment, il y a deux ans, aux alentours de mon anniversaire, où nous étions à table toi et moi quand j'ai remarqué que ton petit doigt tremblait. Je t'ai demandé de lever les bras en l'air et c'était drôle à voir : il y avait neuf doigts au repos et juste ce petit doigt en train de vaciller.

« Y a un truc ? t'ai-je même demandé. Ton petit doigt s'agite bizarrement. »

« Je n'y suis pour rien, as-tu répondu. Il bouge tout seul. »

Nous avons demandé à maman de venir et elle s'est exclamée : « Mais comment ça se fait que seul ce petit doigt tremble ? »

« Je ne sais pas, as-tu dit, moi aussi je trouve ça fou. »

Bah, quelle importance, un petit doigt qui vacille ? Ça ne faisait pas mal et ça ne t'ennuyait pas vraiment, juste un petit désagrément. A l'époque, je trouvais qu'on faisait tout un foin pour rien, mais maman a décidé de t'emmener chez le médecin et celui-ci a dit que c'était dû aux tensions. Ton bulletin scolaire, rempli de A, ne laissait rien transparaître de tout ça, mais il n'empêche que je me suis dit à ce moment-là que c'était une bonne idée que tu aies un journal pour que tu puisses te débarrasser de ces tensions en écrivant. Moi aussi, je tiens un journal, mais je le fais parce que j'ai souvent envie de ne parler à personne et que j'ai quelque chose à dire malgré tout.

[Mardi, 12 octobre 1971] J'ai rien à faire.

Six mois plus tard ! Tu n'as pas écrit la moindre ligne entre mars et octobre. Désolé pour ce foutu cadeau.

J'ai vraiment rien à faire et je m'ennuie à mourir. Je suis tombé dans l'escalier et je me suis foulé la cheville.

Ça ne nous avait pas vraiment frappés, parce que ton état ne se détériorait que très lentement, mais en octobre, ta main gauche tremblotait comme celle d'un petit vieux. Tu as sans doute dû louper la rampe à cause de ça et perdre l'équilibre.

Je ne peux pas poser mon pied par terre, ce qui m'autorise à sécher les cours. Comme il n'y a personne à la maison et que je me déplace très bien à cloche-pied, je suis parti fouiner un peu partout — je suis bien obligé, on ne me dit jamais rien dans cette maison. Je souffre d'un manque chronique d'information.

Très spirituel. Tu as piqué l'expression de maman. En ce moment, elle ne souffre d'aucun « manque chronique » mais cherche l'ambiguïté dans les moindres expressions du langage. Quand un homme lui dit : « Bien des choses à votre sœur », elle répond d'un air outré : « Mais je ne vous permets pas ! » Oui, ris donc.

J'ai d'abord fouiné dans le moindre recoin de ma chambre

Mais ris ! Maman et tante Alice étaient dans un café le week-end passé, et elles ont descendu quelques (petits) verres. Tout à coup, maman a dû aller d'urgence au W.-C. et tandis qu'elle pissait allègrement, elle a remarqué qu'elle avait oublié de relever le couvercle, donc la pisse dégoulinait le long du W.-C. Elle a essayé de s'arrêter de faire pipi au plus vite mais, trop tard, sa petite culotte était trempée et le sol était couvert de pisse. Maman a enlevé son slip mouillé, en a fait une boule qu'elle a mise dans son sac. Trop mal en point pour nettoyer le bazar, elle a quitté les toilettes, qui étaient d'une propreté irréprochable avant son passage, droite comme un piquet. Dehors attendait tante Alice qui sautait d'un pied sur l'autre en se retenant et maman lui a lancé : « A ta place, Alice je me retiendrais parce que les W.-C. sont vraiment dégueulasses. »

Ris donc. C'est la fête, ton anniversaire, en plus ! Et c'est carnaval par-dessus le marché. Dehors, ils sont en train de fêter ton anniversaire sans le savoir.

et puis je suis retombé sur ce bête journal.

O.K., tu ne ris pas.

J'ai relu ce que j'ai écrit et j'ai vachement raison de ne pas vouloir de journal intime. Quand je lis : « Je pense qu'à partir de ce moment-là, le soleil ira se lever ailleurs », j'ai l'impression que c'est écrit par quelqu'un de timbré, car il est tout à fait impossible que le soleil se lève ailleurs. Et le fait que je sois malgré tout en train d'écrire vient de ce que j'ai peur d'avoir l'air idiot si un jour quelqu'un lit cette phrase, sans que je n'aie pu ajouter que ce n'est pas ce que j'ai voulu dire. Que les choses soient claires : je ne crois pas pour de vrai que le soleil ira se lever ailleurs !

C'est joli à part ça : le soleil qui se lève ailleurs.

J'ai continué mes fouilles dans la chambre à coucher de papa et maman. J'y ai trouvé 2 choses intéressantes, à savoir :
— 1 magazine porno dans l'armoire à linge — bien salace, au moins vingt femmes nues, cheveux impeccablement peignés, ce qui est tout bonnement impossible quand on vient d'enlever ses habits. Et toutes plus maquillées les unes que les autres ! Il y avait aussi des petites annonces de gens qui veulent

faire plein de trucs sales ensemble mais « pas dans un b. fin. ». Il faut que je trouve ce que ça veut dire car ça doit être vraiment très cochon si personne ne veut le faire.

— 1 capote dans un des tiroirs de la table de nuit, c'est donc que maman et papa font la chose. Ou qu'ils ne la font pas justement, vu que c'est une capote qui n'avait pas encore servi.

Cette revue cochonne dans l'armoire à linge, je la connais, et je ne savais pas non plus au début ce que voulait dire « pas dans un b.fin. ». Je pensais que cela avait peut-être à voir avec les bains finlandais, mais depuis lors j'ai percé le mystère. Cela veut dire : pas dans un but financier. Oui, pour moi aussi ce fut une grande déception.

Ensuite, je suis allé faire un tour dans la chambre de Luc

Où tu n'avais absolument rien à faire !

et, là, en dessous de son sous-main, j'ai trouvé une drôle de petite lettre.

Oh, non ! Tu ne vas pas remettre ça ! Ne gâche pas tout, pas aujourd'hui.

C'est une lettre écrite au brouillon, destinée à papa et maman. Je l'ai lue et ça parlait de ce dont je me doutais, c'est-à-dire que Luc préfère les garçons aux filles.

Qu'est-ce qui te permet d'écrire tout haut de tels mensonges sur moi ? Bas les pattes !

Et il trouve ça très grave pour eux et il écrit qu'il tient beaucoup à eux, alors qu'en vérité, il leur jette des regards noirs toute la journée parce qu'ils – surtout maman – ne lui fichent pas assez la paix à son goût. Maintenant, j'ai découvert un secret de Luc,

Non, non, tu m'as volé un ridicule brouillon. Volé !

et ça ne peut pas lui faire de tort, car il lui en reste encore au moins quatre-vingt-dix-neuf. Voire plus. En fait, Luc collectionne les secrets. Sa vie entière est 1 grand secret. A tel point que quand il arrive à la maison, il ne vient jamais s'asseoir à table pour nous raconter comment ça s'est passé à l'école. Si maman lui pose la question, il répond toujours la même chose : « Comme d'habitude. » Il se fait du thé, grimpe les escaliers quatre à quatre, sa tasse fumante à la main, et s'enferme dans sa chambre. Il n'en sort que pour une deuxième tasse de thé.

Il faut bien que je fasse mes devoirs, non ?

A plusieurs reprises, maman lui a demandé pourquoi il n'emportait pas la théière en haut.

« Si je la prends avec moi, je ne redescendrais plus jamais », a répondu Luc. C'est donc grâce à la présence de la théière sur le dressoir que nous avons encore l'honneur de voir Luc.

Et maintenant, qu'est-ce que je pourrais bien faire ?

Oh, c'est comme ça que ça marche, Marius ? Tu balances un mensonge sur papier, puis tu passes à autre chose. Continue donc ainsi. Si tu as l'intention de répandre des bobards, je ne suis pas sûr d'avoir encore envie de sauver ton journal.

[Samedi, 16 octobre 1971] Ce journal est un cadeau de Luc. Il voulait certainement que j'écrive à son sujet. Eh bien, je suis loin d'avoir terminé ! Car je lui ai parlé du brouillon que j'ai trouvé et il a tout nié en bloc !

Je ne veux pas parler de ça, Marius. Si tu ne cesses pas tout de suite, moi j'arrête.

Il m'a carrément menti et je ne comprends pas pourquoi.

Arrête !

A quoi ça lui sert de nier ce qu'il a, par-dessus le marché, écrit noir sur blanc ?

Ho ! C'est la dernière fois que je le dis. Bas les pattes !

Je suis très fâché contre lui.

Fâché ? Toi ? Je n'en avais pas plus, moi, des raisons d'être fâché ? Tu t'es introduit dans ma chambre comme un vulgaire voleur et tu as dérobé mon brouillon.

Je regardais la télévision dans le lit de maman et Luc est venu m'apporter un verre d'orangeade. Comme il faisait mine de repartir de suite, j'ai vite lâché : « Je suis au courant, tu sais. Tu peux tout me dire, à moi. »

Tu m'as regardé avec ton petit sourire exaspérant. Ça m'a tout de suite irrité.

— De quoi tu parles ? a-t-il demandé avec hargne. D'un air mystérieux, je lui ai dit : « Je l'ai lu-e. »
— Quoi ?
— La lettre, ai-je répondu.
— Quelle lettre ?
— La lettre que tu as écrite.
— J'écris tant de lettres, a répliqué Luc.
— Oh, mais sûrement pas d'aussi intéressantes que celle adressée à papa et maman.
*   Et, je lui ai dit laquelle c'était.*

Non, tu m'as d'abord fait enrager un moment dans le style : "T'aimerais-bien-le-savoir-hein ?"

Finalement, tu as dit qu'il s'agissait d'un brouillon « qui traînait » dans ma chambre.

Il s'est de suite fâché et a vite essayé de changer de sujet de conversation.

— Qu'est-ce que tu viens faire dans ma chambre ? Je ne t'autorise pas à venir dans ma chambre, encore moins quand je n'y suis pas, a-t-il crié. Et je ne veux pas que tu touches à mes affaires avec tes sales pattes !

« T'as qu'à pas tout laisser traîner », as-tu eu le culot d'ajouter par-dessus le marché.

Puis il s'est mis à raconter des salades, comme quoi il aimait beaucoup les filles.

Je trouve les filles fantastiques, il n'y a pas un gramme de mensonge là-dedans.

« Même pour aller au lit ? » ai-je demandé.
« C'est ridicule de ne voir les filles que comme des petites poupées avec lesquelles on couche », a crié Luc. Mais moi je ne pensais évidemment pas

aux droits de la femme. Je voulais parler de ce qu'un garçon et une fille font au lit, pas des manifs du MLF et de tout le bataclan.

« Pas pour l'instant », a-t-il dit. C'était une remarque plutôt puérile, venant de lui.

Je n'avais que quatorze ans !

Il ne voulait plus en parler. Soit. Du moment qu'il ne me prend pas pour un imbécile, car il est clair que je ne vais plus croire une seconde à sa soi-disant envie de coucher avec des filles. J'ai vu cette lettre de mes propres yeux et je ne supporte pas que Luc continue à mentir comme il en a l'habitude.

Je n'en reviens vraiment pas que tu aies écrit tout ça dans ton journal. Si j'avais su, je n'aurais jamais entamé mon opération de sauvetage. O.K., c'est important que tes pensées soient conservées, mais pas si c'est de la foutaise. Je ne suis plus très sûr de vouloir continuer à lire et à écrire…

C'est bien ça son problème. Il a deux solutions en tout et pour tout : se taire ou mentir.

Seulement si, pour une raison quelconque, je ne peux ou ne veux pas dire la vérité.

Avant, Luc et moi, on ne se cachait rien.

Bien sûr que si.

En ce temps-là, on pouvait discuter de tout ensemble.

Mais non.

Mais plus maintenant. Plus depuis longtemps. Luc reste enfermé toute la journée dans sa chambre et quand je me risque à passer ma tête dans l'encadrement de sa porte, il me jette un regard comme s'il rêvait de me découper à la hache. Et ça ne m'amuse plus d'être frangins. Je le trouve con parce qu'il n'a jamais de temps à me consacrer.

Désolé, connard.

J'ai envie de lui dire quelque chose d'important, mais il ne m'en laisse même pas l'occasion. Il passe

toute la journée à dessiner et moi aussi j'aimerais
savoir ce que je veux faire plus tard et

Je n'en suis pas sûr du tout! Tout le monde pense spontanément que j'irai aux beaux-arts, sans jamais me poser la question. La vérité est que je ne sais rien faire d'autre que dessiner, je suis donc bien obligé de devenir dessinateur.

comme Luc me préparer tous les soirs à mon futur
métier mais je ne sais pas ce que je veux devenir. Je
sais seulement quels métiers ne me plaisent pas et
je ne vais pas dresser ici la liste qui va d'Aéronaute
à Zoologiste. Autant énumérer les métiers qui
m'attirent éventuellement un tant soit peu, à savoir:

Archéologue – parce qu'on peut creuser la terre
pour en ressortir des souvenirs de l'histoire.

Capitaine dans la marine – même si le côté mili-
taire ne me plaît pas trop. Mais capitaine sur un bac
ou une péniche ne me dit rien du tout.

Explorateur – même s'il ne reste d'après moi
plus aucun territoire à explorer. Mais découvrir une
nouvelle étoile dans le cosmos me paraît aussi plutôt
chouette.

Quelque chose en rapport avec la géographie en tout cas, car c'est ma matière préférée. Le mot « érosion » en soi est déjà plus beau que le plus beau des poèmes. Ou « alluvions ». On dirait un loup qui hurle.

Tu as raison.

[Samedi, 12 novembre 1971] Ce soir, Luc et moi étions seuls à la maison.

Ça cause encore de nous ?

Nous avons regardé la télévision tous les deux et Luc m'a préparé une salade de saumon, parce que je n'arrive plus très bien à le faire en ce moment à cause de mon tremblement.

Je devenais super nerveux à chaque fois que tu ouvrais une boîte de conserve et que tu risquais tes doigts sur les bords coupants. C'est pour ça que je préférais le faire moi-même. Et du reste : tu mélangeais toujours tout le contenu de la boîte avec la mayonnaise, au lieu d'enlever d'abord les

petites peaux, arêtes et autres déchets dégueulasses. Ça m'ôtait toute envie d'en manger.

*J'ai senti que le moment était propice pour rediscuter
du sujet et j'ai décidé de ne pas mettre de gants. J'ai
dit : « Je pense que je suis amoureux d'un garçon. » Et
devinez ce que cet idiot de Luc a dit ?*

Quoi ?

« Chouette. Super ! »

Je ne pense pas avoir dit ça.

— Je suis sérieux, ai-je dit.
— Tu te fais des idées.
— Comment ça, je me fais des idées ?
*— Tu n'as que treize ans, a dit Luc, on ne peut pas
encore être fixé sur ces choses à cet âge-là.*

J'ai vraiment dit ça ?

*« Et toi, tu ne le sais sans doute que depuis tes quatorze
ans ? » lui ai-je demandé rien que pour le provoquer.*

Si tu ne veux pas que ton journal finisse en cendres, il faudra te montrer coopérant.

« Arrête tes conneries. Je suis amoureux de Hanna »,
a-t-il crié.
« Et la lettre alors ? »
« Arrête un peu de parler de cette lettre, a dit Luc.
J'ai cru être amoureux d'un garçon de ma classe,
mais c'était avant de tomber amoureux de Hanna.
J'étais dans le cirage. C'était un petit mot pour
m'aider à réfléchir, ce n'est jamais devenu une
véritable lettre. »

C'est ce que j'ai dit ? Oui, c'est probable.

Sa réponse différait complètement de celle qu'il avait
donnée en premier lieu ; j'avais donc la preuve qu'il
avait menti. Mais c'était peine perdue avec Luc.
« Tu te cherches peut-être. C'est tout à fait
normal », a-t-il dit.
Je l'aurais tué : mon frère, qui est mon aîné d'à
peine un an, me prenait pour un gamin. S'il ne
m'avait pas regardé si gentiment, je l'aurais envoyé
au sol d'un coup de pied.

J'ai longuement réfléchi à tout ça la semaine passée, car si nous en sommes tous les deux, Luc et moi, c'est que notre éducation y est probablement pour quelque chose,

N'importe quoi. Il ne faut pas croire ces balivernes.

et que ce n'est donc pas de notre faute.

Une chose pareille n'est la faute de personne.

Je pensais que nous avions trouvé une raison de redevenir frangins comme avant, mais Luc voyait les choses autrement. A vrai dire, j'avais déjà imaginé un super scénario dans lequel nous allions, Luc et moi, annoncer la nouvelle à nos parents en sautillant : « Nous sommes tous les deux homos, c'est pas chouette, ça ? »

Débile !

Mais Luc a dit : « T'as toujours une petite amie, non ? »

J'ai répliqué : « J'aime aussi beaucoup les filles,
mais je suis plus amoureux quand c'est un garçon. »

« C'est des choses qui arrivent, a dit Luc. Mais ça
t'arrive aussi de tomber amoureux d'une fille ? »

« Parfois. »

« Tu vois ! Tu es tombé amoureux d'un garçon,
tout à fait par hasard, entre deux histoires avec une
fille », a dit Luc, mais d'après moi, ça ne tient pas
la route. Mon désir d'être proche d'Alex

Alex ? Tu ne veux quand même pas dire notre
Alex, qui habitait dans notre quartier auparavant ?
Alex-atlas ?

est au moins 100 000 000 fois plus grand que le désir
que j'éprouve envers Marianne. Disons qu'elle est
plutôt là pour la forme. Pour que tout le monde voie
que si je veux, moi aussi je peux avoir une copine.

Il n'empêche que je n'ai rien trouvé à lui dire sur
le coup, car il a peut-être raison. Ce n'est que
quand je suis tombé amoureux d'Alex que je me
suis rendu compte que j'en étais peut-être un. Mais
ça ne me plaît pas du tout que Monsieur Luc décide
à ma place que "ça va passer". Ou plus exactement

que ce n'est pas vraiment ce que je ressens. Et ça me vexe, parce que c'est vraiment ce que je ressens. Et je ne laisserai personne prétendre le contraire !

Tu as bien raison.

[Samedi, 15 janvier 1972] Je n'y comprends rien. L'année passée, nous avons eu une discussion, Luc et moi

Tu n'as toujours rien trouvé d'autre ? Pourquoi est-ce que tu ne parles pas d'Alex-atlas si tu es amoureux fou de lui ? Pourquoi faut-il toujours que tu parles de nous ?

et depuis lors, il agit comme si je n'existais plus. Il reste constamment dans sa chambre. Ou quand il n'y est pas, c'est qu'il est quelque part sur un toit ou dans un arbre. Comme ça, au moins, il est sûr d'être débarrassé de moi, puisque j'ai le vertige.

Je n'y peux rien si j'aime l'escalade. Ça n'a rien à voir avec ton vertige.

Je lui ai déjà demandé plusieurs fois pourquoi il grimpe partout. On peut difficilement trouver à redire à sa réponse : « Parce que j'en suis capable. »

En effet, parce que j'en suis capable. C'est tout. (Si je ne suis pas admis à l'Académie des beaux-arts, je pourrai toujours devenir restaurateur de flèches de clocher d'église.)

Mais la situation est telle que, quand il descend regarder la télévision et qu'il voit que je suis dans la pièce, il remonte les escaliers en vitesse. J'ai la peste ou quoi ?

Aïe, je ne savais pas que tu l'avais remarqué. Excuse-moi, Maus.

J'avais cru qu'en disant à Luc que j'en étais peut-être un, il avouerait plus facilement qu'il en est un aussi. Mais rien de tout ça. Au contraire, on dirait que c'est moi qui l'ai chassé.

Que veux-tu que je te dise ?

J'aimerais vraiment beaucoup lui parler de ce que je vis et ressens, mais c'est impossible. En même temps, ce serait un peu malhonnête de lui rejeter la faute, car je trouve difficilement mes mots en ce moment. Hum, non, c'est pas tout à fait ça. J'arrive à trouver mes mots et à les écrire mais souvent, je n'arrive pas à les prononcer. Une seconde avant de dire le mot en question, je crois tout à coup que ce n'est pas le bon ou que je vais me tromper. Et même quand je le regarde après l'avoir écrit, il m'arrive parfois subitement de ne plus savoir comment le prononcer. J'ai ça avec "ressembler". Je sais bien que ça se prononce "re-sembler" mais je suis tout à coup pris d'un doute. Il ne faut pas plutôt dire "rè-sembler" ? Et comme j'ai peur d'avoir l'air idiot, je préfère avaler ce que je veux dire. Je ne sais pas si c'est à mettre en relation avec mes tremblements ou l'âge adulte qui approche. J'ai entendu dire que les adultes perdent leur imagination, ce serait peut-être bien ça. Qui sait ?

Tu t'interrompais de plus en plus souvent. Tu entamais une phrase, mais tu t'arrêtais en plein milieu, un sourire de Mona Lisa apparaissait comme par magie sur ton visage et tu gardais le silence d'un air énigmatique. Etait-ce parce que le mot que tu voulais prononcer t'échappait ? A l'époque, je croyais que tu faisais ça pour nous ennuyer. C'était comme si tu savais pertinemment bien ce qui t'arrivait et que tu voulais nous faire comprendre par ce sourire que, na, tu ne nous le dirais pas.

Maman me traîne depuis près d'un an d'un docteur à l'autre. En fait, c'est toujours la même rengaine. Le gars tripatouille d'abord mon corps et déclare qu'il ne voit rien d'anormal. Ensuite, il se tourne vers maman qui le foudroie du regard parce que les docteurs qui ne trouvent rien d'anormal ne peuvent qu'être des charlatans à ses yeux. Et tout à coup, le voilà qui sait exactement ce qui ne tourne pas rond.

Oh, laisse-moi deviner, Maus. Je peux ? Je peux ? « Madame, avec une mère comme vous, je deviendrais complètement dingue, moi aussi. » Quelque chose du genre, Maus ? Non ?

A savoir que la situation familiale n'est pas optimale et que je souffre d'un manque d'affection, ce qui entraîne un déséquilibre psychique qui se traduit par des tremblements. Qu'ils disent tous.

[Dimanche, 13 février 1972] Avant,

Tu as sauté mon quinzième anniversaire, Maus.

je voulais devenir capitaine (ou mieux encore, corsaire – cette année au carnaval, je me déguiserai en corsaire),

Ne me parle pas de ce carnaval. Alex était avec nous et il m'a humilié en m'envoyant carrément bouler. En fait, je n'ai jamais aimé Alex.

mais maintenant, je ne me sens même plus capable de devenir capitaine de canoë. Rien que mon corps qui vacille suffit à me donner le mal de mer.

A ce moment-là, c'est tout ton bras gauche qui était assailli par les tremblements, et parfois, rarement, ta tête se mettait tout doucement à trembloter.

Avec le recul, c'est étonnant comme ton état s'est détérioré lentement au début. Nous avons eu tout le temps de nous y habituer.

C'est comme si des vagues tourbillonnantes traver-
sent sournoisement mon corps à la vitesse de la
lumière. Et j'ai l'impression d'être constamment sur
le point de me noyer. Et je crois que ma douleur
musculaire est due au fait que je hausse les épaules,
même si j'ai vu dans le miroir que je les hausse
à peine. Et j'en ai marre que tout le monde me
bombarde de questions alors que je n'ai rien demandé :
« Comment tu vas ? » « T'as des problèmes ? » « Ça
ne va pas à l'école ? » « Qu'est-ce qui se passe ? »
Parce qu'alors, oui, je hausse les épaules, car moi,
j'ai pas les réponses, je ne les ai pas, je ne les ai pas !
Si au moins ils m'écoutaient un instant ! Et maman
et Luc se disputent à mon sujet. Maman crie que je
suis malade et Luc, qui a pitié de moi parce qu'elle
dit ça tout haut, crie que c'est uniquement dû aux
problèmes.

Je pensais que maman voulait dire que tu étais
détraqué et ça m'attristait pour toi. Elle te traînait
d'un docteur à l'autre et les traitait de tous les
noms parce qu'ils ne détectaient rien d'anormal.

Et moi je ne crie rien du tout.

Et tous les docteurs criaient en chœur : « Il court, il court, le Marius, il est complètement débile, il court, il court, le Marius, il finira à l'asile. »

Je ne m'en mêle même pas, car moi non plus je n'ai pas les réponses. Et dans ces cas-là, papa hausse véritablement les épaules. Son truc, actuellement, est d'aller se réfugier à la moindre occasion dans le garage pour trier les vêtements de la collecte au profit de l'Afrique. Un jour, Luc lui a demandé : « Est-ce que ce n'est pas beaucoup plus simple de les laisser courir à poil, comme avant, quand il faisait encore si chaud ? Ou est-ce que Dieu a changé d'avis ? » Il s'est ramassé une gifle, mais ça lui était égal. Il m'a dit : « On est deux à tourner sur nos jambes à présent ! »

Je ne me souviens plus avoir dit ça mais je sais bien que "tes histoires" le rendaient fou. Il y avait toujours un moment où tes tremblements incessants nous tapaient sur les nerfs. Mais en même temps, nous nous y étions habitués.

C'était vraiment chouette le carnaval, Luc mis à part. Il est mort de honte quand il doit sortir déguisé.

Une fois de plus, maman m'a demandé de t'accompagner parce qu'elle estime que tu es trop jeune pour y aller seul. Ce n'était vraiment pas la peine, car Alex était là et il pouvait tout aussi bien garder un œil sur toi.

Mais maman lui a demandé de m'accompagner parce qu'elle voulait qu'il sorte au moins une fois de sa chambre. Alex (déguisé en clown) et moi gambadions et dansions joyeusement dans la rue, suivis de Luc affublé du long imperméable de papa, d'un chapeau et d'une grande paire de lunettes de soleil. Je crois qu'il était censé représenter un exhibitionniste.

Non, un espion, idiot !

Luc traînait une tête jusque par terre et râlait contre tout, si bien qu'Alex lui a dit à un moment : «Disparais sous terre, tu veux? Tu gâches notre plaisir à tirer une tête pareille. Je préfère que tu te casses. »
    Luc était profondément vexé. Il a hésité trente secondes avant de dire : «Casse-toi, toi-même, j'en

ai rien à foutre de ton carnaval, moi, c'est tous les jours que je me déguise ! »

J'ai dit ça ? Je ne sais plus.

Ensuite il a tourné les talons et est reparti fou de rage. Au fond de moi, j'étais gêné qu'Alex ait renvoyé Luc, mais ce n'est qu'une fois qu'il était parti que c'est vraiment devenu bien.

Très bien.

[Mardi, 15 février 1972] Ce carnaval est le plus génial de toute ma vie ! Il faut vraiment que je raconte ça, même si j'éprouve de plus en plus de difficultés à écrire. Les secousses de plus en plus fortes de la partie gauche de mon corps m'empêchent de contrôler entièrement mon côté droit.

Tout est encore très lisible, Maus. Un peu trem-blotant çà et là, c'est tout.

Enfin, c'est arrivé ! Hier, nous sommes rentrés du carnaval, Alex et moi, et il a voulu me montrer le nouvel atlas qu'il avait acheté. Nous nous sommes installés par terre pour le feuilleter. Je lui ai demandé pourquoi l'Antarctique se trouve tout en bas de la terre alors que personne ne sait où est le haut de l'univers. Car après tout, peut-être que le pôle Sud est le véritable pôle Nord et que nous vivons à l'envers depuis des siècles.

Cette remarque a fait rire Alex et il s'est alors produit ce que j'avais souvent imaginé dans mes rêves. Il a passé son bras autour de moi et m'a embrassé sur la joue. Je l'ai embrassé sur la joue à mon tour, et il m'a donné un nouveau baiser moitié sur la joue, moitié sur la bouche. J'ai essayé de faire passer dans mon regard ce que – ô combien – je désirais et peut-être a-t-il compris mon message. Nous nous sommes mis à faire l'amour et ça ne s'est arrêté que bien, bien plus tard.

J'ai d'abord cru que je n'y arriverais pas à cause de mes tremblotements qui sont presque constants. Mais, prisonniers d'une sorte d'étau, nous nous agrippâmes l'un à l'autre. Sous l'effet de cette violence qui ferait mal à n'importe qui d'autre, la terre a absorbé mes tremblements comme un éclair en passant par Alex et le sol. Oui, entre nous, l'orage se déchaînait à coups de tonnerre et de foudre. Et un sentiment bestial que nous ne connaissions pas nous a envahi. Nous voulions être complètement agglutinés l'un à l'autre mais ce n'était jamais assez. Impossible pourtant d'être plus près de quelqu'un qu'en étant contre lui. Malgré tout, nous essayions encore, en nous enlaçant très fort, de nous rapprocher toujours un peu plus l'un de l'autre. Forcément, il nous fallait d'abord nous débarrasser de nos costumes, car, habillés, il reste toujours une distance. J'ai écossé le corsaire et il a décortiqué le clown. Notre peau faisait l'effet d'un aimant et attirait l'autre tellement fort qu'on avait l'impression que quelque chose aspirait tout l'air entre nous. Lex m'étreignait, et moi qui ne savais pas où mettre mes mains, je les mettais partout, comme si j'avais envie de sentir le moindre centimètre carré de sa peau. C'est maintenant que j'apprends seulement à le connaître, me suis-je peut-être dit.

On n'est jamais vraiment certain que l'autre a lui aussi une quéquette tant qu'on ne l'a pas vue. Ou sentie ! Je sentais son organe se presser contre mon ventre et le mien s'écrasait tout aussi fort contre lui. Mais ce qui était étrange, c'était que je *n'arrivais pas à déterminer lequel des deux était le mien et lequel celui de Lex. J'en sentais deux et ils appartenaient à nous deux. Nos hanches coulissaient d'avant en arrière et nos tiges se poursuivaient, se croisaient, se détachaient brusquement, se recroisaient – c'était comme si nos corps étaient faits l'un pour l'autre, tant tout s'emboîtait à merveille, tant nous étions destinés l'un à l'autre. Je ne vois pas d'autre explication. Dans les films de cape et d'épée, les gars brandissent leurs armes dans le but de mettre l'autre KO – Lex et moi menions, nous aussi, une sorte de duel à l'épée, mais entre nous la paix régnait.*

Maintenant, je suis tout à fait sûr qu'être amoureux d'un garçon n'a rien d'éphémère. C'est pour toujours !

Dire que tu oses écrire ça ! Je n'oserais jamais. Je ne saurais d'ailleurs pas quels mots utiliser pour décrire une telle chose.

Je meurs d'envie de courir trouver Luc pour le lui raconter,

Ce n'est pas que vos histoires de tiges m'aient fait piquer un fard, mais il n'empêche que j'ai un peu l'impression de regarder par le trou de la serrure. Je ne sais pas si je veux vraiment savoir tout ça, car ça fait plutôt voyeur. Mais ce qui me gêne le plus en fin de compte, c'est de n'avoir jamais remarqué ce qui se passait entre Alex et toi. Comme si je faisais exprès de détourner le regard.

mais bon, c'est si difficile pour moi de parler, hein, et la porte de la chambre de Luc est fermée, ce qui veut dire que je ne suis pas le bienvenu.

Je t'écoute maintenant, Maus, et je me demande si toi-même tu as envie que ce journal continue à exister. N'importe quel voleur peut le dérober et lire ce que tu viens de me raconter.

Fais-moi un signe, si tu le peux. Communique-moi ce que tu attends de moi. Tu préfères que ton journal reste intact ou qu'il te parvienne sous forme de fumée ? A toi de choisir, Maus.

Et puis, qu'importe.

Ou est-ce à moi de trancher ? Je ne m'en crois pas capable.

De toute façon, Luc ne me croirait pas.

Si, Maus, je te crois !

[Dimanche, 5 mars 1972] Aujourd'hui, au réveil,

Quatorze ans ! Bon anniversaire, Maus.

　Bizarre, tout de même : ce soir, je t'ai souhaité bon anniversaire pour tes treize et quatorze ans, et je t'ai aussi présenté mes vœux pour le premier de tes anniversaires auquel tu n'assistes pas.

les tremblement s'étaient encore intensifiés.

Si je me souviens bien, à cette date-là, on avait déjà appris que tes tremblements se dénommaient officiellement "trémulations". Ou était-ce plus tard ?

J'ai beau essayer, je n'arrive pas à contrôler mon corps. J'ai tout l'air d'un petit vieux qui a la tremblote. Et je me suis aussi rendu compte ces jours-ci que je n'arrive plus à conserver toutes mes pensées dans ma tête.

Et à l'école, c'était de pire en pire. Au lieu de tes A habituels, tu récoltais des C. Le proviseur est venu se plaindre de ce que ton comportement en classe irritait plusieurs de tes professeurs. Tes tremblements perturbaient le cours et, comme si ça ne suffisait pas, tu ne trouvais rien de mieux que de faire des grimaces.

Bien sûr, les pensées me viennent. Mais comme elles s'envolent au moindre tremblement, je constate tout à coup que j'ai oublié une nouvelle fois ce à quoi je pensais trente secondes plus tôt. Auparavant, ça m'arrivait déjà : je me dirigeais vers la cuisine et je me mettais à penser à autre chose, ce qui fait que je ne savais plus ce que j'étais venu faire dans la cuisine. Mais aujourd'hui, ça se produit plusieurs fois par jour. C'est pourquoi je me suis finalement résigné à noter certaines choses, c'est plus facile à retenir.

Le seul problème, c'est que je ne sais plus ce que je voulais écrire…

J'ai fait tomber un bol ce matin, parce que je n'arrivais plus à le tenir. Je me souviens que je me suis dit : tu vas le déposer, oui ! Mais c'était déjà trop tard. Il m'a échappé parce que je n'arrive plus à bien serrer les doigts – oh, mon cas n'est vraiment pas brillant !

Bon, c'est pas tout ça, mais je n'ai toujours pas retrouvé ce que je voulais écrire. Ah oui, je me souviens maintenant, à savoir que c'est mon anniversaire aujourd'hui. Quel con ! Je n'ai évidemment pas oublié que c'est mon anniversaire, j'ai seulement oublié que c'est ça que je voulais écrire ! J'ai 14 ans maintenant. Ce que j'ai reçu comme cadeau ? Un premier petit poil sous le nez. Quand j'en aurai trois, je les laisserai pousser pour en faire une tresse.

On avait de plus en plus de mal à te suivre mais toi, tu continuais à sourire comme la Mona Maus de Léonard de Vinci. Je me disais : est-ce qu'il ne serait pas détraqué, après tout, car même les images les plus horribles du journal télévisé ne venaient pas à bout de ton sourire imperturbable, comme si rien, mais alors plus rien, ne te touchait plus.

Papa et maman m'ont offert une radio portable. Lex, toujours aussi adorable, m'a fait cadeau d'un vieil atlas usé, d'avant la guerre, dans lequel l'Allemagne de l'Est et de l'Ouest forment un seul pays qui comprend une partie de la Pologne. Pour le reste, je ne l'ai pas encore feuilleté – je n'ai pas osé lui dire que tout ça ne m'intéresse plus tellement. De Luc, j'ai reçu un 33 tours de Joni Mitchell parce que j'adore la chanson Both sides now.

Ce 33 tours qui est donc le mien à présent.

[Lundi, 3 avril 1972] J'aurais tellement aimé discuter avec Luc de toutes ces choses qui viennent de m'arriver (24 fois déjà !),

Oui, Maus, pas la peine d'en rajouter.

mais je ne peux plus l'accuser aussi facilement qu'avant, car lorsqu'il a envie de me parler – par exemple d'une émission à la télé –, c'est moi qui n'arrive pas à sortir un son de ma bouche. Comme hier soir. On a enfin revécu une de ces journées entre frangins, même si elle a commencé bien tard.

Je suis souvent devant la télévision ces jours-ci, parce que je ne suis pas en état de faire grand-chose d'autre, et Luc quitte de plus en plus souvent sa chambre pour venir s'asseoir près de moi. Je trouve ça chouette, car ce sont des moments que nous passons ensemble, sans pour autant devoir nous parler.

J'aimais bien rester seul et toi pas. Et comme tu avais fini, nom d'un chien, par l'ouvrir encore moins souvent que moi, nous étions contents tous les deux : ensemble et seuls à la fois.

Et hier, à la télévision, il y avait une émission de variétés où se produisait un orchestre tzigane. On s'est regardé, Luc et moi, et j'ai compris à son air qu'il pensait à la même chose que moi. Il s'est levé et est venu gentiment s'asseoir à côté de moi sur le canapé. Le plus simplement du monde, comme autrefois, bien au chaud, l'un contre l'autre. Il a même passé son bras sur mon épaule.

Moi aussi, j'avais lu dans ton regard que nous pensions à la même chose. On se sentait bien tout à coup.

Et rien ne nous obligeait à parler.

Puisque nous savions parfaitement ce qui occupait nos pensées.

A l'époque, nous avions, euh, sept et huit ans, je crois.

Quelque chose comme ça. Huit et neuf, pour être précis.

Et près de chez nous, au coin de la rue,

Tu vois ? Je savais bien qu'on pensait à la même chose.

des Tziganes avaient établi leur campement.

Sur le terrain à l'abandon. Là où se dressait autrefois une magnifique bâtisse. Je m'en rappelle vaguement.

En fait, nous avions peur des Tziganes,

Oui, mais à cause des histoires que l'on racontait à l'école.

ce qui ne plaisait pas beaucoup à maman, je crois.

Maman disait que c'était absurde d'avoir peur des Tziganes.

Elle prétendait que sous sa chevelure de fausse blonde, elle était elle-même une Tzigane, et nous la croyions.

Et comment! Qu'est-ce que c'était palpitant d'avoir une mère tzigane!

Mais il était hors de question que papa apprenne qu'il avait épousé une Tzigane; c'était donc notre secret.

Et nous allions nous cacher dans les bosquets pour observer le campement, parce que nous voulions savoir quelle aurait été notre vie si, au lieu d'épouser un fils de paysan brabançon, notre mère s'était mariée avec un homme de son peuple.

Nous n'avions aucune raison de croire que maman nous mentait, car après un certain temps, on pouvait voir apparaître des racines châtains qu'elle se dépêchait de teindre en blond. Oh! quel beau secret c'était.

En effet, car ce secret-là se doublait d'un autre : à savoir que nous étions les deux seuls enfants tziganes sur terre à avoir des cheveux blonds comme les blés. Et nous n'avions pas besoin de nous les teindre pour que le secret soit gardé.

Nous nous sentions plutôt spéciaux, car nous n'étions pas de banals gamins qui avaient échu par hasard au père et à la mère qui nous avaient trouvés dans les bois, mais bien de véritables enfants tziganes.

D'après moi, ce n'est pas tout à fait correct, Maus. Tu mélanges deux histoires. Maman a d'abord raconté qu'elle descendait des Tziganes. Un peu plus tard, je lui ai demandé si elle était véritablement ma mère et elle m'a répondu : « Marius est mon vrai fils et toi, je t'ai trouvé dans les bosquets, mais je vous aime tous les deux. » Et lorsque tu lui as demandé par la suite si elle était ta vraie mère, elle t'a répondu : « On a trouvé Luc dans les bois et toi, je t'ai kidnappé dans un landau. » Elle disait ça sur un ton peu crédible, mais, en même temps, nous n'aurions pas pu jurer qu'elle mentait.

Luc et moi allions parfois nous cacher dans les fourrés
pour observer le campement, car nous avions entendu
à l'école que les Tziganes enlevaient les enfants et
volaient l'argenterie chez les gens. C'est dire si nous
avions une famille "originale" palpitante.

Nous examinions les petits Tziganes. Ils avaient
des cheveux noirs et des chandelles qui pendaient
au bout de leur nez. Oh, si nous pouvions nous
aussi avoir des chandelles au bout de notre nez.
Mais c'était évidemment hors de question, car
alors papa aurait compris que nous étions en
réalité des enfants tziganes, et maman aurait été
trahie. Si nos nez coulaient, le mot d'ordre était
d'utiliser un mouchoir au plus vite.

J'ai demandé à Luc pourquoi ces nomades volaient
uniquement les enfants et l'argenterie. Il n'a rien pu
me dire à propos des enfants, mais il savait par contre
que, quand les Tziganes recevaient de la visite, ils
aimaient dresser la table en disposant soigneusement,
dans l'herbe qui entourait le feu de camp, fourchettes,
couteaux et cuillers en argent, exactement comme les
gens qui habitent dans des maisons normales,

Mais sur une table dressée, alors…

comme nous.

J'avais simplement inventé cette histoire parce que chez nous aussi, on ne sort l'argenterie des tiroirs que le dimanche et aux grandes occasions.

Luc m'a dit que les Tziganes faisaient fondre l'argenterie qu'ils n'utilisaient pas pour en faire des boucles d'oreille en forme d'anneaux.

Ben oui, je me disais : qu'est-ce qu'ils peuvent bien faire de tous ces couverts ? Personne ne reçoit autant d'invités.

Un jour, un jeune Tzigane s'est approché du bosquet où nous étions cachés pour les épier.

Il était tout près de nous. Nous tremblions de peur et nous pincions la main l'un de l'autre, car nous n'avions jamais vu un voleur d'argenterie et d'enfants de si près.

Presque pris de panique, nous voulions déguerpir,
mais sommes restés sans bouger en faisant le mort.
C'est que nous venions de voir un documentaire à la
télévision dans lequel des faons restaient complètement
immobiles pour ne pas se faire repérer. Mais bon, ces
animaux noir et blanc se confondaient dans une
nature noir et blanc, alors que nous étions en couleur.

Habillés de pulls rouge vif, dans les buissons
verts.

Il avait des sourcils touffus comme deux petites
demi-lunes noires, une moustache

Je crois qu'il avait seize ou dix-sept ans.

et des yeux flamboyants.

Des yeux marron et flamboyants. Il était si différent des deux cachets d'aspirine aux cheveux
blonds que nous étions.

Le jeune Tzigane s'est engouffré dans les bosquets
et nous avons retenu notre souffle, car il n'était qu'à

quelques mètres de nous. Tout à coup, il nous a aperçus et il a sursauté. Il s'est mis à nous parler avec excitation dans une langue que nous ne comprenions pas, ce qui nous a complètement affolés. Pensant qu'il était peut-être en train de nous injurier, nous avons détalé. J'ai couru jusqu'à ce que je me rende compte que je n'entendais que le bruit de mes propres pas. J'ai regardé derrière moi, mais je n'ai pas vu de traces de Luc. Je me suis arrêté un peu plus loin pour voir où il avait bien pu passer. Luc se trouvait perché en haut d'un arbre. En bas, le Tzigane près du tronc ne cessait de lui parler. Et il l'invitait de la main à le rejoindre. Peut-être Luc a-t-il eu peur de devoir passer toute la nuit dans l'arbre, car il en est redescendu.

Je suis descendu de l'arbre parce que j'ai remarqué que le bla-bla qui sortait de sa bouche n'avait rien de malveillant. Le garçon ne montrait pas les poings, mais faisait gentiment signe de la main. Et il y avait quelque chose dans ses yeux qui m'attirait vers le sol.

Je savais bien que papa et maman nous avaient toujours dit de ne pas suivre les messieurs qu'on ne connaît pas, mais ce n'était pas un monsieur ; c'était un jeune Tzigane. Et du reste : un des nôtres.

Le garçon a pris Luc par la main et l'a emmené avec lui.

Il a saisi ma main d'un coup, l'a pressée trois ou quatre fois contre sa poitrine en disant : « Tibor, Tibor, Tibor. » J'ai compris que c'était son prénom mais pour rien au monde, je n'aurais osé lui dire le mien.

Nous nous sommes assis dans l'herbe et son déluge de paroles a repris.

Comme je croyais que ce jeune Tzigane voulait enlever Luc, je me suis dépêché de rentrer à la maison.

Je l'écoutais bouche bée sans toutefois rien comprendre à ce qu'il disait. Pour une raison ou une autre, ça n'avait pas d'importance. J'étais captivé par ses grands yeux marrons et leurs longs cils, par cette fine moustache en dessous de son nez et par ses sourcils. On aurait dit qu'ils étaient couverts de suie ; je n'avais jamais vu de cheveux si noirs de près. J'ai également remarqué qu'aucune chandelle ne pendait au bout de son nez et aucun anneau en argent à son oreille. Il s'est mis à cueillir des trèfles en fleur et m'a montré comment en faire une couronne.

Complètement paniqué, j'ai sorti les tiroirs contenant l'argenterie et j'ai tout renversé dans un sac. Ensuite, je suis retourné en courant sur les lieux et j'ai fait le guet, prêt à faire preuve de courage au moment où les Tziganes enfermeraient Luc. Je me préparais à bondir de ma cachette pour leur offrir l'argenterie en échange de mon frère.

Comme c'est mignon !

Pour ma part, on pouvait tout aussi bien manger avec les couverts de la cuisine, mais se passer de Luc me semblait impossible. Heureusement, ce ne fut pas nécessaire. Luc et ce garçon étaient assis dans l'herbe à faire des couronnes de fleurs. Luc m'a aperçu et m'a fait signe de m'approcher, mais je n'osais pas. Alors, il s'est précipité vers moi et m'a demandé ce que j'avais dans mon sac.

« Rien », as-tu dit.

J'ai haussé les épaules.

J'ai regardé ce qu'il y avait dans le sac et comme c'est à moi que revient, pour autant que je sache, la tâche de ranger soigneusement toutes les pièces de l'argenterie dans les tiroirs après les avoir lavées, je me suis d'abord fâché à la vue de ce foutoir.

« Pourquoi t'as fait ça ? » t'ai-je demandé avec autorité. Douze couteaux, douze fourchettes, douze cuillers et encore douze autres couteaux, fourchettes et cuillers pour le dessert, et ensuite, douze couteaux à poisson, trois louches, une cuiller à pommes de terre, deux cuillers à sauce, une cuiller à potage, les couverts à salade, six fourchettes à homard, deux fourchettes pour la charcuterie et une pelle à tarte : le tout jeté pêle-mêle. Et comme toi, tu ne connais pas l'emplacement exact de chacune de ces pièces, c'était bibi qui allait devoir tout bien remettre en place dans les tiroirs de l'argentier.

Luc s'est mis en colère et alors, je lui ai dit que j'avais pris l'argenterie pour faire l'échange. Mon frère contre les couverts.

Comme j'ai trouvé ça mignon ! Mais je l'ai déjà dit.

Heureusement, il n'est pas retourné auprès du Tzigane,

Euh, non…

mais il est revenu avec moi. Ils se sont encore fait signe un moment. Luc m'a pris par la main et nous sommes rentrés ensemble à la maison. Et il m'a montré comment ranger les fourchettes dans les tiroirs de l'argentier, et les couteaux, et les louches, etc.

Et maman nous a regardé faire. Elle ne comprenait pas ce que nous fabriquions avec l'argenterie. Ça ne la regardait d'ailleurs pas.

Voilà ce à quoi nous pensions en écoutant l'orchestre tzigane à la télé.

D'après moi, c'était la toute dernière fois que nous avons joué ensemble.

Avec l'argenterie, tu veux dire ? Tu as peut-être bien raison.

Luc est allé vivre dans les arbres et sur les toits, derrière des portes closes. Partout où je ne pouvais pas le rejoindre. Nous étions toujours des frangins, mais plus des frangins solidernels.

"Solidernel", jolie trouvaille, Maus.

Ni des copains.

Mais nous n'avons jamais été copains, Maus. Pas vraiment. Les copains, tu les choisis ou ils te choisissent. On était des frangins ; on ne s'était pas choisi donc on ne s'épargnait pas. On pouvait s'engueuler comme du poisson pourri et pousser l'autre à bout, car on ne devait pas craindre que quoi que ce soit vienne mettre fin à notre fraternité. Les copains peuvent décider de ne plus se voir mais les frangins, eux, ne peuvent pas décider de se séparer. Après chaque dispute, ils se retrouvent d'office sous le même toit.

J'étais tellement habitué à toi que je ne m'étais jamais posé de questions sur ce que ça signifiait : être une paire de frangins. Lorsque nous vivions encore tous les deux, j'aurais été bien embêté si quelqu'un m'avait demandé ce que c'était : être un frangin. J'aurais probablement répondu que les frangins ont les mêmes parents, qu'ils doivent être constamment sur leurs gardes afin que l'autre ne reçoive pas une plus grosse part de gâteau, et qu'ils se marchent tous les deux sur les pieds.

Si, à la place d'être frangins, nous avions été copains, j'aurais peut-être eu autant de chagrin, mais tôt ou tard je me serais mis à la recherche d'un autre copain. Et, avec un peu de chance, j'en aurais trouvé un. La différence, c'est que ça ne sert à rien de se mettre à la recherche d'un nouveau petit frère, qu'on a d'ailleurs peu de chance de trouver.

Ce soir-là, on était bien ensemble, même si nous ne nous sommes rien dit.

Pas avec nos voix, non.

Avant, je ne pouvais pas contrôler ma langue,

C'est une des raisons pour lesquelles j'émergeais de ma chambre : petit à petit, nous sommes devenus des frangins gardant tous deux le silence. Et ça me plaisait bien.

maintenant, c'est mon corps que je ne peux pas contrôler. Et ça commence à bien faire.

Je sais, Maus.

[Samedi, 19 mai 1972] J'ai des trous de mémoire qui sèment la confusion en moi. Si je ne note pas de temps en temps tout ce que je fais, c'est le chaos total dans ma tête. Au point qu'il m'arrive d'oublier tout à coup quel jour on est, ou à quoi sert un coupe-œuf. Et j'ai peur de dire quelque chose d'idiot, car les rares fois où j'ouvre la bouche, c'est parfois autre chose que ce que je voulais dire qui sort.

Maman a continué de te traîner de docteur en docteur, parce que la trémulation avait pris possession de tout ton corps et parce que tu étais complètement à côté de tes pompes. C'est psychique, maintenaient-ils tous.

A la fin mai, il était devenu impensable que tu continues à aller à l'école; ta trémulation empêchait les autres élèves et les professeurs de se concentrer, ton écriture était devenue presque illisible (en fait, ça va encore: en lisant, je me suis habitué à tes gribouillis) et pour apprendre, ça n'allait plus non plus. Et quand je dis ça, c'est que ça n'allait vraiment plus. Tu étais incapable de répondre aux questions les plus simples. Tu semblais chercher désespérément la réponse dans ta tête, restais sans rien dire et affichais sur ta tronche cet irritant sourire de Mona Maus.

Pour manger, on t'avait acheté un set de table en plastique, pas parce que ça nous dérangeait que tu casses les assiettes et les verres, mais parce qu'un jour tu t'étais blessé la bouche en brisant ton verre sur tes dents et, une autre fois, tu t'étais piqué la joue avec ta fourchette: quatre gouttelettes de sang en rang d'oignons. A la fin, c'est maman qui devait te nourrir.

Restait ce petit sourire moqueur. Et ce regard énigmatique. Et ce mystérieux silence. Comme si Mona Maus nous provoquait.

En fait, ça n'a plus non plus de sens de continuer à noter des choses, car ma trémulation a transformé mon écriture en gribouillis.

Quel hasard ! je viens juste d'utiliser exactement le même mot : gribouillis ! Mais j'arrive toujours à te lire, Maus, donc tout va pour le mieux.

Heureusement que je tremble moins du côté droit que du côté gauche, car je me suis rendu compte que le fait d'écrire est tout ce qui me reste pour me concentrer. Je dois me mettre à réfléchir à ce que j'écris et à ce qui va sortir de ma plume, et ça ramène le fourbi qu'il y a dans ma tête en un seul endroit. Comment ça se fait, je n'en sais rien, mais il n'y a que sous la forme écrite que je ne sois pas dispersé. Car alors, je travaille d'une manière ou d'une autre avec moi-même et j'arrive à aligner les mots correctement. Certes, il me faut un siècle pour terminer une phrase, mais chaque phrase sans fautes est la preuve que je ne suis pas fou. Je ne suis pas fou. Mais tout le monde pense le contraire. Et les docteurs ont tous dit que je suis psychiquement déséquilibré à cause d'un manque d'affection. Donc, maman est furieuse d'entendre ça, car elle le prend comme une insulte. Elle crie: «Ils sont cinglés, Marius est tout simplement malade, malade à crever!» Et alors Luc s'emporte, car il a pitié de moi quand maman crie tout haut que je suis malade. A son tour, il crie que j'ai des problèmes psychiques.

Je ne supporte plus ça. Je devrais donc m'estimer heureux que papa se tienne à l'écart, mais ça non plus, ça ne va pas, car, quand ils se chamaillent à propos de mon état, Luc et maman montrent au moins que je compte pour eux. Tout comme Lex, même si nous ne couchons plus ensemble.

Oh? Pourquoi?

Ma fichue trémulation s'est aggravée, et elle ne disparaît que quand je dors (c'est ce que je crois puisque je dors). Lex est vraiment adorable avec moi, mais mes tremblements le rendent lui aussi un peu dingue. Peut-être en a-t-il également un peu marre de moi. Je lui écris une lettre de temps à autre, mais sans jamais la poster. Elles atterrissent toujours dans la poubelle. Car il est plus important que je mette pour moi-même sur papier ce que je ressens, plutôt que d'ennuyer Lex avec ça. Il m'a dit qu'il n'est plus amoureux de moi mais qu'il m'aime encore. Moi, je suis toujours aussi fou de lui qu'au début, même si nous ne faisons plus l'amour. Ce qui signifie en tout cas qu'un homo reste un homosexuel même s'il n'a plus de rapports sexuels. Ou est-ce que je serais devenu ce que certains appellent un homophile ?

C'est juste une question de vocabulaire, Maus. D'après moi, les deux termes désignent la même chose.

[Lundi, 4 juin 1972] J'en ai marre de tout monde !

De tout le monde, tu veux dire ?

Les moindres phrases qu'on me dit regorgent de poids d'interrogation.

De poids ? Oh, de points d'interrogation !

Des questions, des questions, toujours des questions et moi, j'ai pas les réponses. As-tu des problèmes ? Est-ce que tu es heureux ? As-tu été voir le médecin ? Oui, pour la centième fois : je suis allé voir le médecin, dix médecins même, et ils disent tous la même chose. Et je ne veux plus en parler. Et d'ailleurs, je n'y arrive plus. Parfois, j'aimerais tous les flinflinguer

Maus, tout de même.

pour que le calme se fasse et que je puisse dormir. Mais avec ce fichu trembleblement, je risque bien de leur bousiller d'abord une oreille, et ensuite, un ongle et ce n'est pas mon blut mon but de les faire souffrir à petit feu. Je veux que ce soit terminé en une fois. Et à présent que je suis incapable de faire quoi que ce soit et qu'on m'a, en plus, renvoyé de l'école,

Tu n'as pas été renvoyé de l'école, même si tu as pu le ressentir ainsi. Tu avais officiellement le droit de rester à la maison : « absence autorisée ».

Au marché noir des cours de récré, on paie des fortunes pour un tel bout de papier !

je passe le plus clair de mon temps devant la télé ou à regarder dans le vague, quand je ne dors pas. Ce qui a le don d'énerver Lex et Luc. Ils m'arrachent de mon canapé et m'emmènent promener afin que je fasse au moins quelque chose. Même si je n'ai plus envie de rien. Rien que le fait de respirer m'emmerde déjà.

[Dimanche, 23 juin 1972] En fait, je ne voulais plus écrire, car je fais des fautes bizarres. Comme si j'étais un triple imbécile. Et puis, il y a cette fatigue qui ne me quitte jamais. Ces tremblements à longueur de journée m'épuisent. J'aimerais tant dormir, mais c'est difficile avec un corps qui tressaute constamment. Impossible de se reposer. Mais, heureusement, j'ai bien dormi cette nuit et aujourd'hui, je ne me sens pas trop, trop, fatigué. Qui sait, peut-être est-ce un début et va-t-on vers une amélioration ? Ce ne serait pas chouette, ça ? Et je n'ai pas encore fait de faute dans les lignes que je viens d'écrire. Oui, ça va aller de mieux en mieux à partir de maintenant,

j'en suis quasiment sûr. Et aujourd'hui, il y avait du soleil. C'est aussi bon signe. Et Luc m'a tiré du canapé, hop, et nous sommes sortis. Nous avons marché – enfin, il a marché et m'a un peu trrtraîné derrière lui – jusqu'au pré au coin de la rue. J'ai vu les boutons-d'or, les pâquequerettes, les pissenlits, les orties et l'oseille faire une fois de plus de leur mieux pour exister. J'aimerais avoir envie d'exister, me suis-je dit tout à coup. La fatigue réapparaissait malgré tout.

« Alors, on va se reposer un peu », a suggéré Luc, et nous nous sommes assis là où nous nous trouvions, en plein milieu du pré. Luc a cueilli du trrtrèfle blanc et en a fait une couronne pour moi. C'était agréable de voir la sérénité avec laquelle il tressait cette couronne. Il contrôle ses mains à merveille. Même lorsque j'arrivais encore à contrôler les miennes, je n'arrivais pas à faire cette gymgymnastique des doigts. Je n'ai jamais su le faire, même s'il m'a au moins montré cent fois comment s'y prendre.

Héritage de Tibor.

Je ne pense pas que j'y arriverai un jour. Pareil pour mon pneu, Luc l'a réparé 100 fois devant mes yeux *et je ne l'en ai jamais remercié. J'étais sur le point de lui dire*

Laisse tomber, petiot.

que je trouve moche pour lui qu'en plus de ses propres corvées, il doive se taper les miennes. Je sais que ça l'agace au plus haut point, mais il ne dit rien.

Est-ce que je me suis plaint ?

Mais je ne l'ai pas fait.

J'ai encore tant de choses à te raconter.

Tout ce que je dis sort de toute façon déforformé de ma bouche. Je n'ai donc rien dit et je l'ai regardé nouer la couronne et la mettre sur ma tête. Evidemment, ma trémulation l'a expédidiée expédiée par terre en un rien de temps, mais qu'à cela ne tienne. Luc l'a simplement un peu rallongée pour pouvoir me la mettre au cou.

J'ai menti, Maus.

On savourait le calme. La cime des peupliers faisait un doux bruissement et Luc n'est monté dans aucun d'entre eux. Il est resté assis près de moi et nous avons rigolé en nous regardant. Pour ça, nous n'avions heureusement pas besoin de mots.

Ne t'en va pas !

Peut-être que di, d'ici-là, d'ici la, oh, suffit, hein ! Peut-être que d'ici la saison des cerises, je me sentirai suffisamment bien pour l'aider.

Me revoici. Le temps de trouver une page blanche dans ton journal, car après tes derniers mots suivait la première page que j'ai moi-même entièrement noircie.

Ma première impulsion fut de continuer à écrire, mais il faisait tout à coup si chaud dans ma chambre que je me suis empressé d'ouvrir la fenêtre. Comme j'ai passé la soirée et la nuit à cloper, la fumée d'une vingtaine ou d'une trentaine de cigarettes roulées s'est dissipée dehors. Au loin, j'entendais les derniers noctambules du carnaval faire la fête.

A un moment, je suis monté sur le toit et j'ai levé la tête vers le ciel bleu nuit constellé. Soudain, les étoiles se sont mises à briller avec plus d'ardeur. Non, ça n'avait rien d'un miracle. Mes yeux se remplissaient de larmes et j'ai chialé un bon petit coup. J'avais lu tout ce que tu as écrit, puis c'était le vide, j'ai donc eu l'impression de te perdre une deuxième fois ! Idiot, hein ? Car jamais je ne me suis senti aussi proche de toi. Plus proche encore que lors de cette soirée où nous avons regardé l'orchestre tzigane.

C'est comme si tu me rendais visite en ce moment dans ma chambre, même si tu es invisible. Mais c'est aussi comme si, moi, je te rendais visite pour ton anniversaire, même si je ne sais pas où. Tu piges ça, toi ?

Je suis content que tu ne sois pas parti tout de suite, Maus, car j'ai encore tant de choses à te raconter. A commencer par ceci : je t'ai menti. Pas parce que je ne pouvais pas te dire la vérité, mais parce que je ne le voulais pas. Car te dire la vérité me pose un problème. Je voulais sauver ton journal pour que tes pensées subsistent, mais il renferme un secret que tu m'as volé et il est important que mes secrets restent secrets. Chose impossible, d'après moi, si ce journal n'est pas détruit et que tout le monde peut le lire.

Et pourtant je souhaite, pour autant que cela soit possible, ne plus te mentir. Je veux que tu saches la vérité, même si cela signifie sans doute que je doive laisser maman brûler ton journal. Et que cette opération de sauvetage est un échec.

Ecoute, Maus. Quand j'étais petit, j'ai vite remarqué que j'étais différent des autres enfants. Je croyais que j'étais un petit garçon singulier et que les autres garçons étaient jaloux de moi parce qu'ils étaient, eux, on ne peut plus ordinaires. Je pensais que c'était pour cela qu'ils se moquaient de moi et m'excluaient de leurs jeux, même s'il y en avait toujours bien un qui acceptait d'être mon copain. A l'époque, je ne trouvais pas ça si grave, car il était clair que je ne faisais pas partie de leur monde : j'avais pour ainsi dire la sensation d'avoir été distingué entre mille pour être "singulier".

Plus tard, j'ai découvert qu'ils ne me trouvaient pas différent au sens de singulier, mais de bizarre. Parce que, d'une manière ou d'une autre, je ne me comportais pas comme tous les garçons. Quand ils jouaient au foot, je dessinais. Quand ils jouaient à chat perché, je faisais des sculptures en argile. C'est pour cela que je ne faisais pas partie de leur monde ; ils me prenaient pour un taré. Et ils ne se privaient pas de me le rappeler : « Il court, il court, le p'tit Luc, il est complètement débile, il court, il court, le p'tit Luc, il finira à l'asile. »

Il arrivait que l'un d'entre eux me traite de fille parce que je préférais pincer que frapper quand j'étais mêlé à une bagarre. Pincer, c'était tricher et il n'y avait que les filles qui ne savaient pas se battre : je n'avais qu'à traverser la rue et aller à l'école des filles.

C'est à l'âge de huit ans que j'ai remarqué que ma singularité était liée à ce que je ressentais. Ma sensibilité n'était pas comme celle des garçons ordinaires. Eux ne tombaient pas amoureux de l'instituteur, mais moi oui, donc il valait mieux que je le garde pour moi. D'autant que Monsieur Brink semblait malheureusement m'avoir pris en grippe. Un jour, devant toute la classe, il a montré ma dictée en aboyant :

« Qu'est-ce que tu m'as écrit là ? »

« Un "d", monsieur. »

«Non, ce n'est pas un "d"», a-t-il crié furieux. «Un "d", ça s'écrit avec une barre et pas une boucle. Va m'en faire cent lignes.»

Il n'en a pas fallu plus pour que je le haïsse à jamais, car ce joli "d" orné de sa boucle, c'est précisément à Monsieur Brink que je l'avais emprunté! Nul doute qu'il avait remarqué que je lui avais piqué son "d".

Non contents de se moquer de moi, certains garçons avaient décidé à l'époque de me faire enrager : ils pendaient mon manteau à un autre crochet que le mien (si bien que je perdais une demi-heure à le chercher), jetaient la clé de mon antivol et le dôme de ma sonnette dans le ruisseau, me donnaient des coups de compas dans le dos et me pourchassaient en agitant des branches. Enfin, tu sais ce que c'est. Ou plutôt non, tu ne sais pas ce que c'est puisque toi, tu avais la cote à l'école. Tout le monde voulait être ton ami.

Heureusement (pour moi, pas pour lui), il y avait toujours un garçon de ma classe que l'on trouvait bien plus idiot que moi et qui résistait moins bien aux vacheries des autres, de sorte que je ne suis jamais vraiment devenu leur tête de Turc. Même si les garçons ne l'admettaient pas, me voir remporter un cent mètres pour la énième fois, ou grimper à la corde plus vite qu'eux au cours de gym devait bien leur inspirer un peu de respect. Bien sûr, ils prétendaient à chaque fois que j'avais triché, mais c'était bien plus simple que ça: j'avais tout bonnement appris à courir plus vite et à grimper plus haut que celui qui me pourchassait. Et puis, il leur fallait tout de même bien avouer que j'étais bon en dessin.

Autant ils trouvaient curieux que je ne m'intéresse pas au sport et aux autos, autant je trouvais étrange que tous ces garçons, qui n'avaient même pas dix ans, cherchaient à épier les filles quand elles étaient nues. Qu'est-ce que ça avait de si palpitant? Ne crois pas que j'étais débile: je savais parfaitement bien qu'il fallait coucher avec une fille si on désirait un jour avoir des enfants. Mais ces choses-là, je m'y intéresserais plus tard, peut-être. Bien plus tard. L'idée d'avoir des rapports sexuels, avec une fille de surcroît, ne me plaisait pas du tout. Cela me semblait carrément dégueulasse. Les autres garçons faisaient comme s'ils trépignaient d'impatience d'avoir leurs premières relations sexuelles avec une fille et j'avais certes compris que s'il était normal que les filles et les garçons voulaient faire des enfants, il était tout à fait normal qu'ils fassent l'amour ensemble. Aussi, le fait de ne pas en avoir envie et de savoir que je n'en aurais jamais envie, ce n'était pas du tout normal et les gens qui ne sont pas normaux, on les flanque à l'asile. Autrement dit, il était de la plus grande importance de ne pas dévoiler que j'étais également tombé amoureux de mon instituteur de la classe supérieure. J'ai réussi à le taire, cet amour, parce que Monsieur Vanderwey voyait quelque chose dans mes dessins. Et pendant l'heure de travail manuel, quand il sélectionnait les sculptures en argile pour les cuire, il était rare qu'il n'en retienne pas une des miennes. Chose qui n'était évidemment pas toujours bien accueillie par les autres garçons, lesquels voyaient, coup sur coup, leur cendrier raté retourner dans le seau à terre glaise. Ils me le faisaient payer d'un coup de poing ou d'une avalanche d'injures en criant que j'étais le chouchou de l'instituteur. C'était, à vrai dire, également mon sentiment et je me demandais si les autres garçons n'avaient pas des fois deviné que j'étais amoureux de Monsieur Vanderwey. N'était-ce pas pour ça qu'ils m'embêtaient toujours plus ? Si c'était le cas, il me fallait enfouir mon secret encore plus profondément et faire semblant d'être normal. Mais ça ne marchait pas. C'était impossible. J'avais toutes les difficultés à faire croire que j'étais un garçon normal et j'étais tellement doué pour être celui que j'étais, que j'avais l'impression d'être une sorte de raté. Mais comme je voulais à tout prix ne pas l'être, ma fierté m'amenait à persévérer dans l'idée que j'étais un garçon singulier. Et le monde entier n'avait qu'à se le tenir pour dit. Me faisaient-ils enrager à l'école ? Qu'importe, je m'enfermais à la maison dans ma chambre où je régnais en maître. Là, personne ne venait m'importuner (sauf toi évidemment) et là je sentais combien j'étais singulier. Je dessinais le monde comme je voulais qu'il soit. Et dans ce monde, il n'y avait pas de place pour toi, qui n'avais qu'à lever le petit doigt pour être invité à une énième fête d'anniversaire. Je crois bien que j'étais jaloux de ta popularité.

Et puis est venu ce jour où j'ai grimpé dans l'arbre. Tibor m'incitait à descendre. Je ne sais pas pourquoi, mais je trouvais qu'il était le plus bel être humain que j'avais jamais vu. Lui ne me ferait pas de mal, j'en étais sûr. Voilà pourquoi je suis descendu de l'arbre. Qu'est-ce que j'étais fier que quelqu'un de si beau veuille s'asseoir avec moi dans l'herbe. Qu'il me tresse une couronne de trèfles ! Personne n'avait jamais fait ça pour moi. Il ne me chassait pas sous prétexte que j'étais bizarre, non, c'est justement parce que j'étais singulier qu'il m'invitait à m'asseoir près de lui. Je l'ai deviné alors que je ne comprenais pas sa langue.

J'étais amoureux de lui, mais c'était un autre sentiment que celui que je ressentais pour mon instituteur. Tu sais que je n'aime pas qu'on me touche, mais quand Tibor m'a caressé la tête et embrassé la joue, j'ai été submergé par une vague de chaleur.

Tu l'ignores mais j'ai revu Tibor deux ou trois fois après notre rencontre. Nous allions nous asseoir dans l'herbe ou faire une petite promenade. Lui toujours aussi volubile et moi ne comprenant toujours rien à ce qu'il disait. Mais ce n'était pas grave. Absolument pas. Tant qu'il tenait ma main ou passait son bras autour de ma taille, tout allait bien.

Enfin, j'exagère. Il y avait deux mots que je comprenais et qui revenaient souvent dans sa bouche: Lucky Luke. C'était le nom qu'il me donnait. Ce n'était bien sûr pas très original, mais venant de lui, ça avait une autre saveur que lorsque les garçons de mon école me qualifiaient de la sorte. Dans la bouche de Tibor, c'était tendre et mignon, et ça n'avait rien de sarcastique. Venant de lui, je l'acceptais. Et je ne parle pas de ses yeux, si beaux, ni de ses cheveux, d'un noir si profond, sans oublier ses dents, d'un blanc éclatant quand il riait. Sauf une, entre son incisive et sa canine. Elle avait disparu. Il ne restait qu'un trou noir et quant à savoir où cette dent était passée, c'était un grand mystère. Je fixais cet endroit qui m'aurait paru laid dans la bouche de quelqu'un d'autre, mais dans celle de Tibor, je trouvais ça beau. Parce que c'était le seul petit défaut que j'avais pu trouver chez lui.

Une seule fois, nous sommes allés jusqu'au pont. Nous sommes restés penchés par-dessus le parapet, à suivre des yeux l'eau qui passait sous le pont en clapotant. Il a posé sa main sur mon dos comme s'il craignait que je ne tombe dans la rivière. Je me suis penché un peu plus en avant en détachant mes pieds du sol, dans l'espoir qu'il m'agrippe encore plus fort. Et c'est ce qu'il a fait en se servant de son bras comme d'un étau autour de ma taille. Je n'ai jamais éprouvé un tel sentiment de sécurité qu'à cet instant. J'aurais aimé que cela dure toujours. Voilà pourquoi j'ai continué à m'incliner plus encore par-dessus le parapet. Voyant cela, Tibor s'est placé derrière moi pour se pencher sur moi afin de prévenir toute chute. Je sentais la chaleur de son corps et en respirais l'odeur. J'avais l'impression qu'il s'était lavé avec du thé.

Mais déjà, il me soulevait et me reposait sur le sol. Je devinai qu'il essayait de m'expliquer quelque chose, car ses gestes étaient plus brusques que d'habitude, mais bon, impossible de le comprendre. Il a alors sorti un bout de papier de sa poche et a écrit son nom dessus. Après m'avoir donné une petite tape, il m'a montré le parapet opposé. Je saisis qu'il voulait que je traverse le pont. Une fois que j'eus atteint l'autre côté, il a levé le bout de papier puis l'a laissé tomber dans l'eau. Il m'a rejoint en courant et ensemble nous avons observé la surface de l'eau jusqu'à ce que le bout de papier apparaisse, emporté par le courant. Tibor a agité la main dans sa direction et j'ai fait de même. Evidemment, je comprenais le sens de son geste, mais je ne voulais pas le savoir. Et alors qu'il me tenait dans ses bras et me donnait une dizaine de baisers, je sentis la colère monter en moi, si bien que je me suis arraché à son étreinte et suis rentré à toute vitesse à la maison. Je me suis abstenu de me retourner, car je savais que Tibor agiterait sa main dans ma direction et que, de l'endroit où il était, il pourrait apercevoir mes larmes.

Le jour suivant, le champ était désert. Les Tziganes étaient partis en emmenant Tibor avec eux. Et pas moi.

J'ai cherché partout dans l'herbe. J'ai trouvé les marques des roulottes dans le sol et un carré de terre desséchée et calcinée à l'endroit où avait brûlé le feu de camp. Mais nulle part, je n'ai trouvé quelque chose que Tibor aurait laissé pour moi. Même pas une cuiller en argent. Il ne m'avait laissé que des trèfles. Mais si je voulais une couronne, je devais la faire moi-même.

Cela s'est passé il y a trop longtemps pour l'affirmer avec certitude, mais c'est peut-être à ce moment-là que je me suis rendu compte pour la première fois exactement de ce qui se passait en moi. Ô comme je regrettais de m'être arraché à l'étreinte de Tibor, alors qu'au fond je n'avais d'autre désir que de sentir ses bras autour de moi, sa joue contre la mienne, de poser ma tête sur sa poitrine pour l'entendre respirer, encore et encore et encore. Encore et toujours. Je pense que c'est à cette époque que j'ai lentement pris conscience de ce que mon cœur ne s'emballerait jamais de la sorte pour une fille. Ce n'était pas un choix ; c'était quelque chose qui m'arrivait.

Je pensais être le seul garçon au monde à pouvoir être amoureux d'un autre garçon. Que j'étais par conséquent homo, ça, je ne l'avais pas compris. Je connaissais bien le terme, mais les homos étaient de vieux vicieux qui aimaient jouer à des petits jeux sexuels cochons avec des jeunes garçons qu'ils avaient appâtés, et je ne me reconnaissais pas du tout dans ce portrait.

A l'âge de onze ou douze ans, j'ai vu un programme télévisé dans lequel on soumettait des questions à un homme. Il disait être homo et expliquait ce que ça signifiait vraiment : qu'il était éperdument amoureux d'un homme. On ne voyait que sa silhouette, car les gens de la télévision avaient éteint la lumière. Il ne fallait pas qu'on puisse le reconnaître. Mais j'ai piqué un fard parce que moi, je me reconnaissais en lui. Je comprenais exactement ce qu'il voulait dire et c'est la première fois que j'ai pensé : peut-être ne suis-je pas le seul au monde à être comme je suis.

N'empêche, ça m'a quand même effrayé, car je pensais que seuls les gens qui avaient commis des méfaits cachaient leur identité à la télévision. C'était donc grave à ce point !

Le lendemain, j'osai à peine me rendre à l'école, tant j'avais peur que les autres m'aient reconnu dans la silhouette du reportage et que partout, on éteigne la lumière à mon arrivée. Je ne savais plus où me mettre quand Frank a raconté dans la cour de récré qu'il avait déjà vu un homo, en vrai, et qu'il savait même où il habitait. Heureusement, c'était une adresse que je ne connaissais pas. Personne ne m'a montré du doigt ; ils n'avaient pas fait le rapprochement entre cette ombre à la télévision et moi. Très bien. Personne n'a éteint la lumière. Et je me suis mis à réfléchir à une stratégie pour conserver mon secret à jamais.

Au lieu de devenir dessinateur plus tard, j'avais plus intérêt à me faire moine ou prêtre : comme ces gens restent célibataires, on ne trouve pas louche qu'ils n'aient pas de femme. Mais cette idée m'inquiétait également. J'étais persuadé au fond de moi que je n'étais pas venu sur terre pour tourner en rond en silence et ressasser des "Je vous salue Marie" pour l'éternité.

Que faire, alors ? La seule solution que j'aie pu trouver, c'était : devenir n-o-r-m-a-l. Tâcher de tomber amoureux d'une fille, me marier, avoir des enfants, ô ! comme la vie serait formidable. Et je me suis donc attelé à ça et, comme toi, j'ai embrassé des filles, mais ce n'était que pour faire semblant.

Au lycée, j'avais aussi des filles dans ma classe. Je me suis rendu compte que j'aimais mieux être avec elles qu'avec des garçons. Les filles ne se moquaient pas de moi et me trouvaient même sympa ! C'était pas les petites copines qui manquaient. Ah ! Fumer des clopes en cachette dans les bosquets près de la cour avec les gonzesses. Ou, assis par terre, écouter Jérôme gratter sa guitare. Et Jérôme fumait de l'herbe ! Il avait vraiment tout pour plaire, susurraient les gonzesses, et elles voulaient toutes l'embrasser. Et moi autant qu'elles, même si je ne le disais évidemment pas.

Je me rendais en bibliothèque pour trouver des livres sur "le thème", longeait discrètement les rayonnages, la sueur perlant sur mon front, de peur que la bibliothécaire ne découvre l'objet de ma mission. A la maison, couché dans mon lit, j'essayais de toutes mes forces de m'imaginer comment ce serait d'être normal et de coucher avec une fille. Mais même mon imagination, qui était pourtant légendaire, s'y cassait le nez. Après le stade du baiser, la fille se changeait d'elle-même en garçon. Aucun espoir ! Fallait-il donc se rabattre sur la vie monastique ? En attendant, j'étais si souvent isolé dans ma chambre ou, hors d'atteinte, sur un toit ou dans un arbre, que j'avais fini par m'habituer à être seul. Je n'éprouverais donc pas trop de difficultés à m'habituer à la vie de moine.

Maman ne le voyait pas de cet œil. Les garçons de quatorze ans ne devaient pas rester enfermés dans leur chambre et n'avaient plus rien à faire sur les toits. Les garçons de quatorze ans avaient passé l'âge de grimper dans les arbres.

« Tu es si peu causant, tu as l'air tellement sérieux, tellement malheureux, me disait maman, et je ne sais pas comment t'aider. »

Je lui répliquais : « Je ne suis pas malheureux. Je ne suis tout simplement pas heureux. C'est tout à fait différent. » Rien à faire. Maman m'a emmené voir un psy (je n'ai jamais su si c'était un psychiatre ou un psychologue) et je n'ai pas osé lui demander pourquoi elle y tenait tant.

On m'a fait entrer dans le cabinet du psy qui s'est mis à me poser les questions les plus absurdes. Des questions auxquelles je ne m'attendais pas et qui m'ont un peu désarçonné. D'autant que ce type affreux semblait s'ennuyer à mort en me les posant.

« Tu t'adonnes à des pratiques solitaires ? » Le stylo en joue prêt à noter ma réponse.

« Pardon ? » J'écarquillais les yeux face à ce gars qui, flanqué d'une drôle de touffe de poils pubiens sur le crâne, me semblait s'enlaidir à mesure que s'écoulaient les secondes.

« Est-ce que tu te masturbes ? » Il pensait que je ne connaissais pas l'expression qu'il avait utilisée, mais, en fait, j'étais trop secoué pour arriver à lui répondre sans reprendre mon souffle. Je me disais : j'ai bien envie de lui mentir, mais ce type a fait des études et il devine quand je mens et si je ne dis pas la vérité, je finis à l'asile.

Il me regardait avec une telle froideur que je lui ai répondu d'un air détaché, comme si c'était la chose la plus naturelle du monde : « Oui. » (J'aurais dû lui dire : « Oui, mais pas autant que vous. »)

« Et à quoi penses-tu quand tu fais ça ? »

A cet instant, j'ai haï papa et maman de toutes mes forces, car je ne comprenais pas comment ils admettaient qu'on me pose des questions si atroces.

« Je ne pense à rien, ai-je dit en mentant. Je le fais, c'est tout. » (Je pouvais tout de même difficilement lui dire que j'allais me coucher en laissant la fenêtre et les tentures entrouvertes. Que j'imaginais, depuis mon lit, qu'un voleur arpentant les rues s'apercevait que ma fenêtre n'était pas fermée. Le brigand escaladait le portail et le pilastre, grimpait sur le porche et s'introduisait dans la maison par ma fenêtre pour voler l'argenterie. Il se penchait sur moi et je sentais son haleine dans mon cou. Je percevais une odeur de thé, tournais la tête et regardais le voleur droit dans les yeux. C'était Tibor. Je le reconnaissais immédiatement. Il me reconnaissait aussi. Et tombait amoureux sur-le-champ. Il me prenait dans ses bras et en oubliait l'argenterie. Dehors, les policiers attendaient, parce que les voisins avaient vu Tibor se faufiler chez nous. « Rends-toi, sale Tzigane. Livre-toi à la police ! » criaient-ils dans le mégaphone. Mais Tibor s'était déjà livré à moi, et moi à lui, et ensemble, nous allions nous livrer à eux. Je le précédais de sorte qu'ils devaient d'abord m'abattre pour pouvoir se débarrasser de lui. Si, moi, j'échappais à la maison de correction parce que je n'avais pas encore seize ans, Tibor, qui était devenu adulte entre-temps, écopait pour sa part d'une peine de prison. J'allais évidemment lui rendre visite et je lui passais des limes à ongles en cachette. Derrière les barreaux, il disait dans une langue que je comprenais : « C'est l'horreur, la taule, mais comme j'ai la chance de pouvoir penser à toi, je tiendrai le coup au moins vingt ans dans ma cellule. Mais j'ai peur que tu ne m'attendes pas. » Je lui souriais affectueusement en observant un silence qui en disait long, car le pauvre tremblait évidemment à l'idée que je ne disparaisse avec un autre. C'est beau, hein ?)

« Mais il y a bien quelque chose qui t'excite ? m'a demandé le psy sans lever les yeux de son papier. Un truc auquel tu penses ? »

« Non. C'est purement automatique », ai-je dit en bluffant.

« Comment est la fille de tes rêves ? »

Encore une question stupide. Il ne pensait quand même pas sérieusement que j'allais répondre : elle a une petite moustache duveteuse et une dent en moins ?

« Elle a des cheveux noirs comme l'ébène, ai-je dit, des lèvres rouges comme le sang et la peau blanche comme la neige. » Je me suis dit : je décris Blanche-Neige, car Blanche-Neige a toujours été mon conte favori. Et ce n'était pas mentir, car Tibor n'avait pas des cheveux différents, des lèvres différentes et une peau différente.

Pour le reste, je n'ai rien retenu de cette conversation. Mis à part les questions stupides de ce gars et ma description de Blanche-Neige, parce que j'estimais que cet homme n'avait pas du tout le droit de m'interroger de manière si indécente.

Une fois sorti, je n'ai pas osé demander le sens de tout cela à maman. Savait-elle tout ce que cet horrible docteur m'avait demandé ? Au fond, cela n'avait pas d'importance, car je ne voulais absolument pas en parler. Elle non plus. Et aujourd'hui, je ne sais toujours pas si cette curieuse conversation a pu apporter quelque chose d'utile à maman. Tout est resté comme avant.

Environ quatre mois plus tard, tu es venu m'annoncer que tu avais lu mon brouillon. J'ai pris peur parce que je craignais que tu ne trahisses mon secret. Je ne voyais qu'une solution : nier et mentir.

En réalité, ce brouillon faisait partie d'une stratégie. J'avais pris la décision de renoncer définitivement au monastère et de regarder les choses en face. Je m'étais fait à l'idée que je ne pouvais pas me changer en garçon normal. J'avais pourtant espéré qu'un jour viendrait où je pourrais choisir d'une manière ou d'une autre : soit homo soit hétéro. Mais ce n'était pas du tout une histoire de choix. Quelque part en moi, on avait déjà décidé à ma place. Je n'avais pas à choisir. Si, le seul choix que je pouvais encore faire, c'était de prétendre ne pas être homo. Choisir de devenir hétéro ou de l'être : la question ne se posait pas.

Si j'acceptais ce fait, c'est parce qu'au fond je me trouvais bien comme j'étais. Dans ma tête, j'étais toujours un garçon singulier et pourquoi ce garçon aurait-il envie de devenir ordinaire ? Mais il n'y avait d'après moi personne au monde pour comprendre une telle chose. D'où mon désir de fuir de la maison. Mon intention était de laisser une lettre à papa et maman et de m'éclipser pour qu'il leur soit impossible de réagir immédiatement. Peut-être que le choc de la nouvelle aurait été tellement grand qu'ils m'auraient chassé de la maison, enfermé dans la cave, battu ou placé dans une institution. Mais comme j'aurais été introuvable, j'espérais que leur inquiétude serait plus grande que leur colère. Peut-être qu'ils auraient pris conscience qu'ils m'aimaient en dépit du fait que je ne leur donnerais jamais de petits-enfants. Seulement, je ne savais pas où aller. J'ai cherché un endroit où me cacher et je n'en ai pas trouvé. La lettre est donc restée à l'état de brouillon.

Puis est venue cette soirée où tu as remis le sujet sur le tapis et où tu m'as appris que tu étais amoureux d'un garçon. Je ne savais évidemment pas à l'époque qu'il s'agissait d'Alex.

Je n'en ai pas cru un mot. Je pensais que tu essayais de me provoquer et voilà pourquoi je ne t'ai pas pris au sérieux. Dans aucun des ouvrages de la bibliothèque sur la sexualité, je n'avais pu lire qu'il pouvait y avoir plusieurs enfants homos dans une même famille. Il était toujours question d'un seul enfant et les auteurs insistaient justement sur le fait que les autres étaient on ne peut plus hétéros. Et étant donné que j'avais l'intime conviction d'être l'homo de la famille, ce ne pouvait donc pas être toi. D'ailleurs : ta vie était tout autre que la mienne. On ne t'embêtait jamais, tu avais toujours suffisamment d'amis à l'école et tu menais, jusqu'à ce que tu deviennes malade, une vie plutôt joyeuse. Comment quelqu'un comme toi pouvait-il être homo ? Comme ça, d'un seul coup, d'un seul ?

Cela ne changeait rien du tout, au fond, que je te croie ou non. Car je savais que si, par un drôle de hasard, il s'avérait que tu étais homo malgré tout, je me retrouverais avec un gros problème : comment réagiraient papa et maman lorsqu'ils s'en rendraient compte ? Avec deux fils homos, ils pouvaient toujours espérer avoir des petits-enfants et qui serait le coupable à leurs yeux ? Moi, évidemment, puisque j'étais l'aîné. « Tu aurais pu te douter que Marius t'imiterait ? Tu lui as montré le mauvais exemple, c'est de ta faute si Marius est devenu comme ça lui aussi ! »

Je voulais montrer ouvertement que je n'exerçais aucune influence sur toi, car papa et maman croiraient-ils ce que j'avais lu : qu'on ne devient pas homo, mais qu'on l'est ? Sûrement pas. Et c'est pour ça, Marius, que je m'enfermais encore plus qu'avant dans ma chambre. Je t'évitais expressément de peur que papa et maman ne pointent sur moi un doigt accusateur.

Mais je te crois, maintenant, Maus. Ce n'était pas pour m'imiter. Tu étais homo de toi-même. C'est dommage qu'on n'ait pas pu en discuter quand il n'était pas encore trop tard. Et ce fut rapidement trop tard à cause de ta maladie. Je me souviens encore t'avoir demandé si, à tout hasard, tes tremblements n'auraient pas un rapport avec la question de savoir si tu préférais les garçons ou les filles. Tu m'as ri au nez avec une telle haine que j'ai estimé que ça n'avait plus de sens d'en parler.

Quoi qu'il en soit, tu envisageais tout de même les choses avec beaucoup plus de légèreté que moi, Maus. Ton idée était d'accourir chez papa et maman en sautillant pour leur annoncer joyeusement: «On fait tous les deux partie du club, c'est pas chouette, ça?» Peut-être ne voyais-tu pas ça comme un problème et acceptais-tu tout bonnement d'être tombé amoureux d'un garçon, mais pourquoi n'es-tu pas allé le dire toi-même à papa et maman? Tu n'as sans doute pas osé le faire sans moi.

La différence entre toi et moi, c'est que j'ai su dès le début que je n'étais pas comme tout le monde, tandis que toi, il t'a fallu tomber amoureux pour t'en rendre compte. Moi, j'ai eu toute ma vie pour réfléchir à ce que ça voulait dire d'être bizarre: être en proie aux railleries, exclu, frappé. Toi, tu n'as jamais été confronté à ça.

Papa et maman seraient-ils aussi contents que tu le croyais? Je n'en sais rien et je n'ai pas envie de courir le moindre risque. Mon idée est d'attendre d'avoir quitté la maison. Une fois aux beaux-arts, je le leur dirai. Alors, leur réaction ne m'affectera plus autant. Alors, je ne serai plus là. Alors, ils n'auront plus de pouvoir sur moi et je serai libre d'être aussi singulier que je le veux. J'ai hâte d'y être!

Tu crois qu'ils vont me prendre aux beaux-arts? L'académie Gerrit Rietveld d'Amsterdam a ma préférence. Comme elle est à une heure et demie en train d'ici, je devrai louer une chambre en ville. Et je serai enfin mon propre chef. Enfin.

Puisque que je t'ai raconté tout ça et que c'est écrit noir sur blanc dans ton journal, puisque que papa et maman savent que ce journal existe, j'ai pris une décision.

Certes, il est important que tes pensées ne disparaissent pas, mais c'est au moins tout aussi important que mes secrets restent secrets. Ne penses-tu pas que si l'on conserve ce journal, maman, la première, va s'empresser de lire ce que nous avons écrit? D'autant que je me suis démené pour sauver ce journal. Comment crois-tu qu'elle réagira en découvrant qu'elle ne sera jamais grand-mère? Que je lui fais subir ça à elle, qui vient de perdre son autre fils? Moi qui représentais sa dernière chance d'avoir des petits-enfants.

A quoi ça sert qu'elle apprenne que toi aussi tu étais homo? Cela n'a plus aucune importance de savoir si tu préférais les garçons ou les filles, car tu as cessé à jamais d'aimer. Peut-être que papa et maman se sentiraient coupables, car tous les parents dont les enfants se révèlent tous deux être homos pensent évidemment avoir fait quelque chose de travers. Mais d'après moi, ce n'est la faute de personne.

Voilà pourquoi j'ai décidé qu'il valait mieux ne pas conserver ton journal, ainsi notre secret restera intact. C'est mieux pour tout le monde, tu ne trouves pas ? Cet après-midi, j'apporterai le journal à maman pour qu'elle le brûle et je resterai près d'elle afin de m'assurer qu'elle ne le lit pas en cachette.

A vrai dire, je m'en réjouis un peu, car ça me permet d'avoir une part dans son rituel qui, je l'avoue, me plaît. Ce n'est pas que je pense que tu arriveras à déchiffrer les mots dans les signaux de fumée, puisque je ne crois pas vraiment que le ciel existe. Pourquoi je continue à écrire alors ? Parce que je sais depuis longtemps que tu lis par-dessus mon épaule. Ne me demande pas comment c'est possible. Je le sens, c'est tout. Et ça me fait plaisir, car il me reste bien des choses à te raconter.

Il y a une dizaine de jours, nous avons reçu des nouvelles, des nouvelles qui te concernent au fond bien plus que nous, et il faut que je t'en parle comme du reste, avant que ce journal ne s'envole en fumée. Je vais commencer là où tu t'es arrêté, car je ne sais pas dans quelle mesure tu te souviens de ce qui s'est passé.

Vers la fin juin de l'année dernière, il était devenu impossible de te laisser seul. Tu étais de plus en plus souvent dans le cirage. Un soir, tu as voulu à tout prix te rendre seul chez Alex. Nous t'avons laissé partir mais nous l'avons appelé, pour lui demander d'aller à ta rencontre. Alex ne t'a jamais vu arriver. Nous étions tellement inquiets que nous avons fini par téléphoner à la police.

À minuit et demi, maman a reçu un appel de la police d'Utrecht. On t'avait trouvé dans un bus et le chauffeur ne savait que faire de toi. Tu ne pouvais pas lui dire où tu te rendais. Ton nom et ton numéro de téléphone étaient les seules choses dont tu te souvenais encore. Maman a sauté dans la voiture pour aller te chercher. On n'a jamais su comment tu avais pu atterrir à des dizaines de kilomètres de chez nous.

Tu as dû être hospitalisé quelques jours plus tard. Au service psychiatrique. D'abord dans une chambre pour deux personnes, mais comme ta trémulation faisait sans cesse couiner ton lit et que ça rendait ton compagnon de chambrée complètement dingue, on t'a déménagé dans une chambre simple et ils ont fixé ton lit au sol.

La première semaine, tu parvenais encore à te déplacer sans trop de difficultés. Maman et moi t'emmenions faire une promenade autour de l'hôpital, même si cette activité laborieuse nous prenait une heure à chaque fois. Un jour que nous revenions d'une de ces balades, tu as crié à l'attention de quelques patients à l'entrée du service psychiatrique : « Je n'ai rien à faire parmi vous, bande de fêlés ! »

Quelques jours plus tard, maman est rentrée de l'hôpital en hurlant de colère. Elle nous a raconté qu'elle était entrée dans ta chambre et qu'elle t'avait trouvé la tête dans un lavabo à moitié rempli d'eau. Elle a dû te tirer par les cheveux pour t'en sortir. Elle racontait que tu avais voulu te pencher pour boire une gorgée et que tu n'étais pas parvenu à remonter la tête.

Maman a provoqué tout un esclandre parce que tu avais failli te noyer, dans un hôpital par-dessus le marché, et que le personnel infirmier n'était pas assez vigilant, mais ils ne pouvaient évidemment pas poster une infirmière en permanence à côté de ton lit.

On a annulé nos vacances sur la Côte d'Azur. Nous n'avions pas envie de nous amuser au soleil pendant que tu étais à l'hôpital ; nous voulions te rendre visite. Mais toi, tu en avais de moins en moins envie. Pas seulement parce que maman faisait des remarques à tout propos, mais aussi parce qu'on t'avait prescrit des cures de sommeil qui te procuraient le repos auquel tu aspirais tant. Tes tremblements te fatiguaient, mais nous aussi un peu.

Lorsque tu as fait savoir à maman par l'intermédiaire d'un infirmier que tu préférais qu'elle ne vienne plus, elle s'est fâchée tout rouge avant de se faire plus ou moins à ta décision. Moi, j'étais encore le bienvenu, mais à chaque fois que je venais, tu dormais. Alors, je te regardais et voyais que ton corps était calme et ne tremblait pas. Et tu le méritais bien.

Comme ça ne servait à rien de te rendre visite, je ne me suis plus pointé. Papa non plus. Maman a continué fidèlement à venir chaque jour à l'hôpital pour t'apporter du jus de fruits. Elle a peut-être tout au plus sauté un jour ou deux. Parfois, elle parvenait à pénétrer jusque dans ta chambre, mais le plus souvent, le personnel infirmier l'empêchait de passer car, comme ils disaient, les visites entravaient le processus de guérison.

« Processus de guérison ? Mon œil ! criait-elle alors en colère. Vous le laissez s'éclipser. »

Le vendredi 1er septembre, au soir, j'ai appris par Alex que tu sortais d'une cure de sommeil. Je ne t'avais plus vu depuis près de trois semaines, j'ai donc immédiatement voulu te rendre visite le lendemain.

Maman m'a conduit à l'hôpital, mais elle est restée dans la voiture. Elle m'a donné un sac rempli de bonnes choses.

C'est fou, mais personne dans le service ne m'a empêché de passer. J'ai pu aller jusqu'à ta chambre sans problèmes et j'ai ouvert la porte.

Tu dormais quand je suis entré et j'ai sursauté à ta vue. Tu as toujours été maigre, mais là, ton visage s'était complètement creusé. Tu avais la peau gris cendre et les cheveux mornes, sans teint et aplatis. Ta bouche, aux lèvres crevassées, était mollement ouverte et personne ne semblait prendre la peine de te brosser les dents. Tes mains étaient écrasées contre les barreaux et je n'ai pas compris pourquoi ils t'avaient donné un tel lit.

Je l'ai vu au premier coup d'œil : ça ne s'arrangerait plus jamais. J'ai immédiatement chassé cette pensée de mon esprit.

« Bonjour, Maus », ai-je fait doucement. Ma voix t'a réveillé et ton corps a été pris de tremblements si violents que j'ai sursauté une nouvelle fois.

« Salut, Wuuk, je dormais », as-tu dit avec difficulté, d'une voix à la fois gentille et pleine de reproches. Cette fichue trémulation avait repris par ma faute. Mais j'ai constaté que le sourire de Mona Maus avait disparu de ton visage.

J'ai posé le sac et l'enveloppe, que j'avais apportés, à côté du lit et je me suis assis sur le bord. J'ai saisi tes bras qui s'agitaient violemment et les ai croisés l'un sur l'autre à la hauteur des poignets afin de pouvoir m'en emparer d'une seule main. De l'autre, j'ai pressé tes jambes qui fouettaient le matelas. Ton lit avait beau avoir été vissé au sol, il n'en couinait pas moins. Lentement, les chocs sont revenus au stade de faibles secousses.

« Regarde, j'ai apporté du jus de pomme et du jus de raisin », t'ai-je dit en feignant un air ravi une fois que tu t'étais calmé. J'ai sorti deux bouteilles du sac et les ai posées sur la table de nuit.

Tu n'as pas répondu. Tes yeux étaient rouges d'avoir beaucoup dormi et ils restaient plongés, mi-clos, dans le vide. On aurait dit que tu m'ignorais volontairement, comme si en m'évitant du regard, tu espérais que moi non plus je ne te voie pas.

« Tu veux boire quelque chose ? » J'ai tenu les bouteilles devant tes yeux. Tu avais tout le temps soif. Ton corps s'est remis à trembler, car on te demandait quelque chose.

« Pwoir », as-tu dit.

« Du jus de pomme ou du jus de raisin ? »

« Bomme. »

Sur la table de nuit se trouvait une sorte de gobelet en étain, pourvu d'un bec verseur, d'où dépassait une paille courbée. J'ai ouvert la bouteille de jus de pomme et j'en ai rempli le récipient à moitié. Ensuite, j'ai essayé de redresser ta tête pour te faire boire, mais tu avais la nuque tellement raide que je n'y suis pas parvenu.

J'ai reposé le gobelet et j'ai regardé s'il était possible de régler la tête du lit. C'était le cas, mais pendant que je la remontais de quelques crans, tu as dégringolé du lit par le bas jusqu'à la hauteur de tes cuisses, entraînant avec toi les draps. J'ai eu une telle frayeur que j'en ai lâché la tête de lit. Quel con, quel con, quel con ! Je l'ai remonté une nouvelle fois et je l'ai fixé. Puis, je t'ai pris sous les aisselles pour te hisser dans ton lit.

J'ai réessayé de te faire boire, mais tu tremblais tellement que le jus de pomme a débordé du gobelet en faisant des auréoles brunes sur ton pyjama bleu clair. J'ai tamponné le jus avec un mouchoir, furieux contre moi-même de ne pas parvenir à mes fins. Quand j'ai finalement réussi à mettre la paille dans ta bouche, tu ne pensais plus à boire.

« Faut aspirer, Maus », ai-je dit. Tu as obéi comme un robot. Quelques gorgées et il fallait que tu reprennes ton souffle. Une fois, tu t'es étranglé et tu as tout recraché. J'ai fait un bond en arrière pour échapper aux gouttelettes de jus de pomme et j'ai trouvé ça tellement déplacé de ma part que je me suis expressément rapproché de toi dans mon pantalon blanc neige ; tu pouvais même me baver dessus si tu le voulais.

Comme tu oubliais encore d'aspirer, j'ai versé de petites quantités de jus dans ta bouche, réussissant ainsi à te faire boire le contenu de deux de ces gobelets.

« J'ai pensé à t'apporter un petit cadeau », ai-je dit en me levant pour m'emparer de l'enveloppe. J'ai sorti le dessin de l'arbre, celui que tu avais voulu, en vain, pour ton anniversaire. Je l'ai brandi d'un air triomphant. « Regarde. »

Mais comme tu ne regardais pas, je l'ai planté devant tes yeux. Je t'ai forcé à le regarder.

«Très meau», as-tu dit, docile, avant de détourner une fois de plus le regard.

Je me suis mordu les lèvres et j'ai su à ce moment que j'avais commis une grave erreur. J'ai rapidement reposé le dessin sur la petite table à l'autre bout de la chambre pour que tu n'aies plus à le voir. Qu'est-ce que tu devais penser ? Luc avait dit que je ne pourrais recevoir ce dessin qu'en héritage et voilà qu'il me l'offrait quand même ! Pourquoi ? Est-ce qu'il ne croirait pas par hasard que je vais mourir et qu'il pourrait ainsi en hériter à son tour ?

J'avais peur que tu ne l'interprètes ainsi, alors que ce n'était pas du tout mon intention. Ce n'est qu'au moment où je suis entré dans ta chambre que j'ai vu que tu mourais peu à peu ; la décision de te donner le dessin, je l'avais prise bien plus tôt. Je voulais seulement te faire plaisir. En dépit de tout ? Il ne fallait pas que je pense des choses si stupides. Tu n'étais pas du tout sur le point de mourir. Tout allait rentrer dans l'ordre, je m'en étais convaincu. J'ai néanmoins pris la décision sur le coup de ne jamais reprendre ce dessin. Jamais.

Je suis retourné m'asseoir près de toi, t'ai caressé le visage et les cheveux. Tes yeux se fermaient lentement. J'ai compris que tu allais t'endormir.

« Je ne peux pas rester longtemps aujourd'hui », t'ai-je murmuré, « car maman m'attend dans la voiture, mais si tu veux, je reviendrai demain. » Je me suis levé. A cause de la détente du ressort du matelas, tes yeux se sont brusquement rouverts.

« Ipi », as-tu chuchoté. Je me suis mis à arpenter ta chambre nerveusement en criant : « Bien sûr, et qu'est-ce que je dois faire, moi ? » Le couinement du lit m'exaspérait tout à coup.

« Là. Outeille. »

Il y avait un urinal contre le mur. Je l'ai pris et ai rabattu le drap. Je n'étais pas à une frayeur près : tes jambes étaient maintenues dans un bandage jusqu'à l'aine et ton ventre formait une vallée entre les os pointus de ton bassin. Ton corps était si maigre, de cette maigreur que je n'avais aperçue que sur des photos de cadavres de camps de concentration allemands. J'aurais bien chialé.

J'ai mis ta quéquette dans le col du vase, comme si toucher le kiki de mon petit frère était la chose la plus normale au monde. Mais une seule pensée m'obsédait : ne pas en mettre partout !

Tu ne pissais que quand je te l'ordonnais. Quand ce fut fini, j'ai remonté ton drap et je me suis éclipsé derrière la cloison qui séparait le lavabo de la chambre pour rincer l'urinal.

« Luc, ne t'en va pas », t'ai-je entendu me crier d'une voix remarquablement claire. J'ai senti une vague de chaleur dans tout mon corps, tant j'étais content que tu me veuilles près de toi.

« Non, je reste encore un peu », ai-je crié en me dépêchant de regagner ton lit. Je me suis agenouillé. J'ai caressé ta joue du dos de la main. Tu étais chaud et moite.

Doucement et par à-coups, tu as tourné ton regard vers moi, tandis que ta trémulation s'atténuait lentement.

« Ciao, Lucky. »

« Ciao, Maus », ai-je dit doucement. J'ai souri, mais ton visage est resté impassible, même si tes yeux m'ont fixé un moment avec insistance. Tu m'as regardé et c'était la dernière fois que tu me voyais.

« Si je viens demain, ai-je murmuré. Tu veux que je vienne demain ? » Pas de réponse. « Si je viens demain, est-ce que maman peut m'accompagner ? »

Tes yeux se fermaient. Ta respiration était lourde, mais tu ne tremblais plus. J'ai continué à te caresser doucement, j'ai passé mes doigts dans tes cheveux, les ai laissés glisser le long de ton oreille et de ton cou.

« Je dois m'en aller, ai-je murmuré pour ne pas briser le silence. A demain. »

Tu n'as pas protesté. Je me suis laissé descendre du lit et me suis penché sur toi pour déposer délicatement un baiser sur ton front. Tu ronflais doucement et j'ai compris que tu t'étais endormi.

Je suis sorti sans bruit de ta chambre, refermant doucement la porte derrière moi, et suis parti sur la pointe des pieds. Ce n'est qu'après avoir dépassé trois chambres que j'ai osé reprendre mon souffle et que j'ai couru vers la sortie.

Je suis retourné à l'hôpital le dimanche, mais l'infirmière m'a dit que tu venais d'entamer une nouvelle cure de sommeil et que tu ne pouvais donc pas recevoir de visite. Honnêtement, j'étais soulagé de ne pas devoir te voir.

Tu es mort le lundi. Je le savais déjà avant que maman ne me l'annonce, mais je voulais l'entendre de vive voix. Mon petit frère était fichu à jamais. Pas de garantie. Pas question de l'échanger. Ou de le réparer. Tu es mort à quatorze ans et six mois. Moins un jour.

Cette journée du 2 septembre, la dernière fois que je t'ai vu, j'ai été terrorisé. Maintenant encore, j'ai le sentiment d'avoir, pour ainsi dire, subi à cet instant un accident qui a endommagé ma mémoire. J'ai vu ce qu'il était advenu de mon joli petit frère, ce à quoi avait mené l'évolution du bébé devenu bambin, devenu gamin, devenu garçon puis adolescent : un petit frère à l'article de la mort. Cette dernière image est restée collée sur ma rétine comme le seul petit frère encore réel. Et les choses te concernant que j'avais emmagasinées dans ma tête auparavant en devenaient toutes, sans exception, subitement irréelles. Tu n'étais plus le mioche exaspérant qui gribouillait des petites moustaches sur mes dessins. Ce garçon-là était déjà mort à en voir l'état désespéré dans lequel tu te trouvais. Tu n'étais plus le collectionneur d'anciennes cartes géographiques. Ce garçon-là aussi était déjà décédé. Tu n'étais plus le petit frère qui voulait toujours savoir ce que je fabriquais. Ce garçon-là était parti. Et que pouvaient changer les souvenirs du quotidien, quand je te voyais couché dans un tel état de décrépitude ? Ils volaient tous en éclats. Seule restait cette image nette et éternelle dans mon cerveau, pour le reste vide : toi mourant. Comprends-tu maintenant pourquoi je préfère me remémorer une vieille photo de toi ? Ça fait moins mal.

Lundi, tu as décidé que tu n'irais pas jusqu'au bout de la semaine. Tu as renoncé à la vie. A moins que Dieu ne te l'ait prise, le sale Voleur.

Maman est arrivée à l'hôpital à deux heures de l'après-midi. Elle se dirigeait vers le service quand elle a vu passer à toute vitesse les infirmières qui t'emmenaient sur un brancard à roulettes en direction des soins intensifs. Elle a voulu te suivre mais elle restait figée sur place, nous a-t-elle raconté. Elle n'avait pas bougé, son stupide sac rempli de jus de fruits à la main, quand ils sont venus lui annoncer que tu étais mort. Ton tronc cérébral n'avait plus transmis le signal "inspirer" et tu avais donc cessé d'aspirer de l'air. Je ne sais pas si c'est pareil qu'étouffer. Mais je n'y comprenais rien de toute manière parce que ce n'était pas du tout ce qui était convenu ! Comment un garçon de quatorze ans et demi qui se retrouvait dans un service psychiatrique pour des troubles mentaux pouvait-il en mourir ? Personne ne meurt simplement parce qu'un médecin vous dit que vous avez reçu trop peu d'affection. Et c'est pourtant ce qui s'est produit.

Tu es mort complètement seul. J'espère que tu n'as pas senti que tu mourais. J'espère que tu dormais quand c'est arrivé et que ça ne t'a pas réveillé. Ou alors que tu as cligné des yeux pour la dernière fois par hasard et trébuché sur tes cils par accident.

Maus, lorsque tu es mort, personne ne pouvait en expliquer le comment ni le pourquoi. Dans les cas où la cause du décès n'est pas clairement établie, on pratique une autopsie. Cela signifie qu'on a ouvert ton corps après ta mort pour trouver ce qui avait dérapé.

Nous savions qu'un ultime médecin avait tripatouillé ton corps, mais nous n'avions jamais rien entendu de plus. Papa et maman appelaient un certain docteur H. presque tous les jours, parce que c'était le chef des médecins qui t'avaient soigné. Ils voulaient connaître le résultat de ce dernier examen ; nous voulions savoir de quoi tu étais mort, car nous ne pouvions pas croire que c'était d'un manque d'affection. Comme si ton père, ta mère et moi t'avaient assassiné.

Papa et maman se sont toujours heurtés à l'assistante du docteur H qui avait trois bonnes excuses sous la main : le docteur ne peut pas encore tirer de conclusions, le docteur est absent, le docteur est occupé avec un patient. Mais ils n'ont pas baissé les bras et ont continué à assaillir le cabinet de coups de téléphone. Cela a duré près de six mois et puis la réponse est enfin venue.

Il y a dix jours, nous avons reçu un courrier de l'assistante du docteur H. Elle nous envoyait le rapport d'autopsie, comme une lettre banale, sans un mot d'explication, et nous n'avions qu'à nous débrouiller.

Maman en a lu un petit bout puis elle a couru aux toilettes pour vomir. Raison suffisante pour que papa ne daigne pas y jeter un coup d'œil. Moi, j'ai dit que je tenais absolument à le lire. Je me fichais complètement de savoir si ça me rendrait malade ou pas. Je pouvais bien l'être, ça ne me faisait pas peur.

Le dernier portrait que ce rapport d'autopsie dresse de toi est écœurant, Maus. On y trouve ce que tu es devenu après quatorze ans et demi de labeur et de croissance. Pas extérieurement, mais intérieurement. Tes organes y sont passés en revue, l'un après l'autre, entièrement ou par petites tranches, dans des termes médicaux savants.

Contrairement à maman, je n'ai pas dû vomir, mais des centaines de frissons ont envahi mon corps. Le fait que des gens puissent envoyer un rapport glacial et administratif concernant un cadavre à des parents pour lesquels ce corps avait un nom dépasse mon entendement. Je n'irai pas jusqu'à t'embêter avec des détails sordides, mais tous les organes qu'un être humain est supposé avoir, étaient présents dans ton corps. Au cas où ça t'intéresse encore de le savoir : quand tu vivais, tu étais effectivement un être entier.

Maman et moi avons montré ce rapport à notre nouveau médecin de famille qui nous l'a commenté. Tu es mort de la maladie de Wilson. Ce qui signifie que maman avait raison quand elle criait que tu n'avais pas de problèmes psychiques, mais que tu étais tout simplement malade. Et moi, j'avais tort. Je l'admets.

Nous n'avions jamais entendu parler de la maladie de Wilson et je pense que toi non plus, je vais donc tâcher de te l'expliquer, du mieux que je peux.

Manger est bon pour la santé, sauf évidemment si on te fourre la nourriture directement dans les artères. Ton organisme décompose ce que tu manges en substances dont tu as besoin et le reste est évacué quand tu vas aux toilettes. La maladie de Wilson est une affection plutôt rare du métabolisme qui empêche ton corps d'identifier en tant que déchet, le cuivre (qu'on trouve tout comme le fer – tu sais, celui des épinards – dans les aliments et dont on a besoin en toute petite quantité). Au lieu d'être éliminé en grande partie, ce métal s'accumule dans les organes qui en renferment déjà un peu par nature : ton cerveau et ton foie, par exemple. Un surcroît de cuivre intoxique tes organes. Ils en meurent. Pas en une fois, mais petit à petit. Partout où des tissus sains sont endommagés apparaît une cicatrice sous la forme d'un tissu conjonctif. Tu pourrais comparer ça à de la paille dans un ours en peluche.

Comme tu continuais à manger normalement et que ton corps emmagasinait de plus en plus de cuivre, cela t'intoxiquait lentement à l'intérieur sans que personne ne le remarque. Tes organes devenaient pour ainsi dire de la paille. Pas étonnant que tout chez toi se mettait à cafouiller. Pas étonnant que tu t'embrouillais de plus en plus souvent et que tu devenais de plus en plus taciturne. Car comment peut-on retrouver des informations dans un cerveau de paille ? Les tremblements, c'était ton cerveau endommagé qui les provoquait. Et ce sourire de Mona Maus sur ton visage ne venait pas d'un rictus moqueur mais de ta maladie. Dans le jargon médical, cela s'appelle "un sourire grimaçant" et c'est une caractéristique typique de la maladie de Wilson. Je ne sais pas à quoi c'est dû. Peut-être que la partie de ton cerveau qui ordonne aux muscles de ton visage d'enclencher la position sourire est la plus sensible au cuivre. Le comble de l'ironie : entrer dans la mort un sourire aux lèvres.

Voilà, Maus, et pas un seul médecin ne l'a détectée. J'ai lu en bibliothèque de mes propres yeux qu'on faisait passer des examens aux personnes atteintes de trémulation pour voir si elles ne souffraient pas de maladies plus courantes caractérisées par le tremblement. Et cet examen a eu lieu, même si ce genre de maladies se manifestent surtout chez les personnes plus âgées. Dans ce même livre, on disait qu'il fallait ensuite, dans le cas de patients plus jeunes, vérifier si le diagnostic de la maladie de Wilson pouvait être posé. Et ce test-là, personne ne l'a jamais fait sur toi.

« Donc ces problèmes psychiques n'étaient pas vraiment d'ordre mental ? » a demandé maman à notre médecin pour être sûre.

« Non, pas dans le sens où ils trouvaient leur origine dans le mental. Marius avait bien sûr des problèmes psychiques, mais ceux-ci découlaient d'un mal physique. »

« Mais si cette maladie est si rare, lui ai-je demandé, c'est peut-être logique qu'ils ne l'aient jamais décelée ? »

« Cette maladie n'est pas si rare que ça. Mais pas un seul médecin n'y a songé. Ils ont tous regardé quelle piste le premier avait empruntée et ont continué à broder autour. Et je dois malheureusement dire qu'une fois que les docteurs ont une idée dans la tête, ils ne l'ont pas ailleurs. »

« Donc, s'ils avaient détecté cette maladie, Marius serait encore en vie ? »

« Non, a dit notre médecin. Marius serait mort de toute façon. »

De retour à la maison, maman a appelé le docteur H. et elle l'a eu en ligne, cette fois ! Elle l'a poliment engueulé et docteur H. lui a raccroché au nez après lui avoir lancé : « Même si nous avions su que c'était la maladie de Wilson, nous n'aurions rien pu entreprendre. Il n'y avait rien à faire. Au revoir, madame. »

Maus, tu avais raison : tu n'étais pas fou. Ils t'ont placé dans le mauvais service. Fichus médecins ! Ils ont tous pompé sur le précédent en retranscrivant toujours la mauvaise réponse. Et nous ne pouvons rien faire contre ça. Maman a demandé à notre médecin si cela servait à quelque chose de déposer une plainte puisque tous les docteurs s'étaient trompés. Mais il est clair que nous n'avons aucune chance. De ton vivant, ces docteurs n'ont fait qu'avancer des hypothèses, mais ils n'ont jamais formulé de diagnostic. Et sans diagnostic, impossible bien sûr de parler d'erreur.

Mais ce n'est pas tout, Maus. La maladie est héréditaire. A ta naissance, ton corps savait déjà qu'un jour tu attraperais la maladie de Wilson.

Par un coup du hasard, papa et maman sont, sans qu'ils l'aient su, tous deux porteurs de la maladie de Wilson. Ils ne l'ont jamais développée parce qu'ils ne portent chacun qu'une moitié de la maladie dans leurs gènes. Mais ensemble, par contre, ils peuvent la transmettre à leurs enfants. Ceux-ci ont quatre probabilités chacun : une chance sur quatre d'attraper la maladie et trois, de ne pas l'attraper. Tu n'as pas eu de bol.

Nous étions frères et donc un peu semblables. Les mêmes probabilités valent pour moi aussi. J'ai une chance sur quatre d'avoir hérité de la moitié malade de papa et de la moitié malade de maman. Dans ce cas, j'attraperai la maladie de Wilson tout comme toi. Il y a une chance sur quatre que j'aie hérité de la moitié saine de papa et de la moitié saine de maman. Alors, il n'y a pas de problème. Dans les deux autres cas de figure, j'ai soit hérité de la moitié malade de papa et de la moitié saine de maman, soit de la moitié saine de papa et de la moitié malade de maman. Dans ce cas, je ne développerai pas la maladie, mais je pourrai par contre la transmettre à mes enfants (qui seront sacrément contents de ne pas naître).

Tout à l'heure, à onze heures, j'ai rendez-vous avec l'ophtalmo à l'hôpital et mercredi, je dois voir l'interniste. Ils vont m'examiner pour voir si je présente des symptômes de la maladie de Wilson.

Bien sûr je suis nerveux, mais pas autant que je pensais l'être. Je ne peux quand même rien y faire. Et je ne veux pas enjoliver les choses, mais si j'ai la maladie, on aura au moins un peu réparé cette situation d'injustice où un frère aîné survit au cadet. Et du coup, la question de savoir si je suis encore un frère maintenant que tu es mort sera résolue, car nous serons tout simplement deux frangins morts.

Ne va pas t'imaginer que j'espère avoir la maladie de Wilson, car je ne veux pas du tout mourir, même pas pour toi. Tu comprends ça, quand même ?

Papa, maman et moi sommes les seuls au courant, mais nous n'en parlons pas. C'est une sorte de tabou. Lorsque maman a annoncé qu'elle voulait brûler tes affaires, je me suis dit : elle va faire table rase du passé pour éventuellement entamer son processus de deuil avec moi. Mais je n'ai rien dit. Ça ne servait d'ailleurs à rien, car maman n'aurait jamais voulu l'avouer.

Ce serait peut-être bien si je t'expliquais pourquoi il faut consulter un ophtalmo. On peut déceler cette maladie assez facilement en pratiquant un examen des yeux (aucun docteur n'a pris la peine de te regarder droit dans les yeux ; t'ont-ils seulement demandé comment tu t'appelais?). Car le cuivre s'accumule aussi dans les yeux et on repère sa présence, à condition d'avoir les appareils adéquats, sous la forme d'un anneau vert.

L'interniste examinera mon foie mercredi. Non, il ne va pas tailler dans ma chair... d'après moi, pas dans l'immédiat en tout cas.

Quelque chose me vient à l'esprit: supposons que notre homosexualité provienne également du fait que nous l'avons héritée de nos parents, tout comme nos cheveux blonds? Que papa et maman en sont porteurs et capables, sans être eux-mêmes homos (ni blonds d'ailleurs), de la transmettre à leurs enfants? Ce serait une bien bonne blague!

Maus, il est déjà six heures du matin. Un fêtard déguisé en Dracula, errant par les rues, vient de passer en laissant derrière lui une trace de vomi. Probablement bu trop de sang. Et j'ai vu le chat des voisins traverser la rue en catimini. Etre à la maison avant qu'il ne fasse jour, semblait-il se dire, pour qu'ils ne me demandent pas où j'ai passé la nuit. Ça vaut pour moi aussi. Alors, je te dis bonne nuit, Maus.

Matin

Cher Maus,

J'avais branché le réveil par sécurité, mais à peine avais-je dormi deux heures que j'ai été sorti d'un rêve. C'était l'un des plus beaux que j'aie jamais fait et peut-être est-ce pour ça que je me sens tellement content, détendu et reposé.

Il y avait une île magnifique en pleine mer, une île qui nous appartenait à tous les deux. Le soleil brillait. Nous nous trouvions sur cette île, mais nous l'étions également. Son nom était Pangée, pas de doute là-dessus.

Tout à coup, il s'est produit quelque chose de terrible mais qui ne m'a pas du tout effrayé, parce que tout se passait au ralenti : l'île était en train de se fendre en son milieu. Chacun de nous se trouvait sur une moitié et nous nous tenions la main. Mais comme les morceaux se mettaient à dériver lentement dans des sens opposés, j'ai été obligé de te lâcher. A ce moment-là, tu t'es enfoncé doucement dans la mer, ton visage d'abord. Avec l'agilité d'un cerf, j'ai bondi juste à temps pour atteindre ta partie de l'île. Mais lorsque je t'ai sorti de l'eau par les cheveux, il était déjà trop tard. Ce n'était pas grave, car nous étions ensemble et c'était le principal.

J'ai vu ma moitié d'île dériver lentement de mon champ de vision et disparaître derrière l'horizon.

Je me suis mis à creuser un trou à mon aise et cela m'a pris toute la nuit. Quand le jour s'est levé, j'ai regardé de l'autre côté et j'ai aperçu un point qui grossissait à l'horizon. C'était ma moitié d'île qui, tout comme la tienne, avait terminé son tour de l'hémisphère. Les deux moitiés se percutaient. Mais ce qui formait anciennement les côtes représentait maintenant l'intérieur des terres.

J'ai descendu ton corps dans le trou, mais je ne t'ai pas recouvert de sable. Et je suis ensuite retourné de mon côté de la Nouvelle Pangée. Fin d'un beau et surtout paisible rêve. Peut-être parce que le soleil et la lune y brillaient avec une telle ardeur.

A neuf heures moins le quart – papa était dans son bureau depuis bien longtemps – je suis monté apporter un bol de café à maman, parce que je tiens absolument à savoir à quelle heure elle va brûler tes affaires. Je me suis dit : je pourrais la laisser dormir pour qu'elle n'ait jamais le temps de vider ta chambre et de tout brûler avant que je ne revienne de ma visite de chez l'ophtalmo. Mais il se peut tout aussi bien qu'elle se réveille une minute après mon départ, et que tout soit déjà réduit en cendre alors que j'attends encore mon tour dans la salle d'attente. Et dans ce cas, ça n'aurait plus aucun sens de lui remettre ce journal dans un acte superbe.

Je lui ai murmuré à l'oreille : « Bonjour. Café. »

Comme mordue par un serpent, elle a émergé du plus profond de ses oreillers. Elle a écarquillé

ses yeux engourdis par le sommeil et s'est exclamée :
« Mon Dieu, j'ai dormi trop longtemps. Il faut
que je te conduise à l'hôpital ! »

« Non, j'ai envie d'y aller seul et je ne dois pas
partir avant dix heures et demie. »

Maman a replongé sa tête dans l'oreiller en
me tournant le dos.

« Ah bon, d'accord. Pourquoi tu me réveilles,
alors ? Je veux encore un peu somnoler. »

« A quelle heure vas-tu brûler les affaires de
Marius ? »

« J'ai encore toute la journée devant moi.
Qu'est-ce que j'en sais. Cet après-midi, je ne sais
pas quand. Et maintenant, veux-tu me laisser
tranquille ? »

« Maman ? »

« Non. »

« Bon, ça va. »

« Vas-y. »

« J'ai une question. »

« C'est rouge, c'est dans un coin et ça rapetisse ?
Un marmot avec une râpe à fromage. »

« Maa-man. Tu veux m'écouter deux minutes ? »

« Mmh. »

«Quand Marius est mort, tu es restée une mère, plus exactement ma mère. Mais moi j'ai perdu mon seul frère. Ma question est donc la suivante: suis-je encore un frère ou suis-je devenu un enfant unique?»

«Quelle question à une heure aussi matinale!» Elle a gardé la tête immobile sur l'oreiller. Je pensais qu'elle ne voulait pas répondre, mais elle a fini par dire: «Je crois que c'est à toi de le déterminer.»

«Je pense que je suis encore un frère, mais de plus personne.»

«Bien, mon bonhomme.»

«Non, je veux savoir comment tu vois la chose.»

Maman semblait s'être rendormie, mais, après un moment, elle s'est remise à parler: «On me demande parfois combien j'ai d'enfants. Une fois, je dis que j'en ai deux, une autre fois, que j'en ai un. Et, il n'y a pas si longtemps, j'ai entendu ton père dire qu'il avait un enfant et un autre qui lui faisait défaut. Maman s'est retournée et m'a regardé avec de petits yeux gonflés. «Je suis toujours la mère de Marius, c'est inscrit dans mon livret de famille. Ton nom aussi est mentionné, donc je suppose que tu es encore son frère. » Elle a tendu la main vers la table de nuit. Je lui ai donné son bol de café.

« Même s'il n'existe plus ? »

« Je me souviens très bien que Marius ne voulait pas sortir au moment où il devait venir au monde. Moi qui m'évertuais à pousser et ce petit gars qui s'agrippait avec ses menottes à mes ovaires. Une mère n'oublie pas ça de sitôt. »

« Je ne comprends pas ce que tu veux dire. » Je me suis accroupi.

« Tu clames toujours que mon ventre est trop gros, mais c'est à cause de vous que j'ai ce bedon. C'est toi et Marius qui l'avez complètement déformé en grandissant en moi. »

« Désolé, hein ! »

« Ce n'est qu'à moitié de ta faute, a-t-elle dit en affichant un petit sourire sournois. Après ta naissance, mon ventre était redevenu ferme. Puis Marius est arrivé et l'a déformé une deuxième fois. Et disons-le, l'élastique d'une vieille culotte n'est pas extensible à l'infini. »

« Tu veux dire que ton ventre est la preuve que tu es la mère de plus d'un enfant ? »

Pour toute réponse, maman m'a regardé et souri. Je croyais la conversation terminée et j'allais me relever quand elle a repris : « Dès le septième mois, tu pointais déjà parfois ton nez à l'extérieur, tant tu étais pressé de naître. » Quelque chose scintillait dans ses yeux. « C'est fou. Je pensais que tu deviendrais un chichiteur et Marius, un petit oiseau apeuré, mais c'est plutôt le contraire qui s'est produit. »

« Je ne suis pas un petit oiseau craintif. Peut-être un cygne qui exécute sa dernière danse. »

Maman m'a regardé longuement. Puis elle a dit : « Tu ne t'en souviens sans doute plus, mais lorsque tu avais onze ans et que nous étions en vacances en Suisse, ton père et moi, tu m'as envoyé une lettre. »

« Ça ne me dit rien. »

« Je me souviens mot pour mot de ce que tu avais écrit. »

Je ne comprenais pas vraiment ce que cette lettre avait à voir avec ma question, mais j'étais curieux d'entendre la suite.

« Chère maman, tante Alice s'occupe très bien de nous et j'espère que papa et toi, vous

vous amusez bien dans les montagnes. Moi, j'ai simplement très mal au ventre ces derniers temps. Au fait, il est où le tube d'aspirine ? »

« Je ne me souviens de rien de tout ça. »

« Ta lettre avait mis des jours pour nous parvenir, j'ai donc immédiatement appelé tante Alice pour lui dire que tu avais mal au ventre. » Maman a tendu la main et tripoté le lobe de mon oreille. « Ça, c'est toi tout craché : quand tu as mal, tu le gardes pour toi. »

Je n'ai rien dit.

« C'est pour cela que tu as toujours été mon petit héros, a-t-elle dit doucement. Souvent malade et jamais une plainte, alors que Marius se lamentait à la vue d'un simple bâton de sucre d'orge sous prétexte que le rose lui faisait mal aux yeux. »

« Ce n'est pas vrai, ai-je dit. Pendant tout le temps où il était malade, je ne l'ai jamais entendu se plaindre. »

Le visage de maman s'est figé, seul son sourcil droit esquissait un arc vers le haut.

« Tu as raison, a-t-elle dit d'une voix blanche, et j'ai toujours espéré que cela signifiait qu'il n'avait pas mal. » Elle a avalé une gorgée de café et a regardé autour d'elle. « Où est le journal ? Tu l'as sûrement encore oublié, comme d'habitude. »

Il faut que j'y aille, Maus. Si l'examen ne dure pas trop longtemps, j'aurai le temps tout à l'heure de te raconter comment s'est passée ma visite chez l'ophtalmo. J'espère que cela aussi, ça t'intéressera de le savoir.

Ça m'angoisse plus que je ne daigne bien me l'avouer, mais je ne veux pas que maman m'accompagne. Si le médecin m'apprend que je vais mourir, je veux pouvoir dire à papa et maman que tout va bien. D'après moi, c'est un droit dont je dispose.

Après-midi

Cher Maus,

Quand je suis arrivé dans notre quartier et que j'ai aperçu notre villa, j'ai cru voir une spirale de fumée. Une fois rentré, j'ai couru derrière la maison pour voir si maman faisait un feu dans le jardin. Elle n'avait même pas commencé ! Elle traînait les cartons remplis de tes affaires jusqu'au jardin. Je lui ai demandé si elle avait besoin d'aide.

« Je veux faire ça seule », a-t-elle dit, mais je pouvais apporter la chaise de la cuisine, si je le voulais. Elle ne m'a pas demandé comment ça s'était passé chez l'ophtalmo.

Avant de me remettre à écrire, j'ai jeté un coup d'œil dans ta chambre. Elle est complètement vide. Il n'y a plus que ton lit, ton bureau et ta chaise. Mais pour le reste, tout a disparu. Ce fichu dessin aussi. Je serai content quand il sera réduit en cendres.

Sur le papier peint, plusieurs taches blanches indiquent les endroits où cartes et posters étaient accrochés. La pièce paraît tout à coup beaucoup plus lumineuse.

Maus, tu sais quelle est mon idée et tu es toujours d'accord, hein ? Tout à l'heure, j'apporterai notre journal à maman afin qu'elle puisse le brûler. Il ne faut pas que je perde de vue où elle en est. C'est pour ça que j'ai couru jusqu'à la chambre d'amis pour regarder par la fenêtre. J'ai vu que maman avait quatre cartons pleins d'affaires à brûler. Autant de temps que je peux encore passer à écrire.

A onze heures moins deux minutes, je me suis présenté à la réception de l'hôpital. J'ai à peine dû patienter un quart d'heure, même si ça m'a semblé une heure. On m'a demandé de m'asseoir derrière un gros appareil qui ressemblait à un instrument de torture.

« Je vais te mettre quelques gouttes d'anesthésiant dans l'œil », a dit la doctoresse, tandis que j'appuyais mon front sur une plaque courbe ; je n'avais le droit ni de bouger, ni de cligner des yeux.

« Pourquoi devez-vous l'endormir si vous ne faites que regarder ? » lui ai-je demandé inquiet.

« Je dois mettre cette petite chose sur ta pupille, et c'est bien trop douloureux sans anesthésiant. » Elle m'a montré un instrument. Ça avait presque la taille d'une fine pile ronde ; je n'avais aucune envie d'avoir ça sur mon œil mais n'ai rien osé dire.

Elle a pris un flacon et en a dévissé le bouchon. « Prêt ? »

« Mmh », ai-je fait. Je suis d'accord qu'il ne faut pas râler inutilement, mais on ne va pas non plus faire comme si de rien n'était.

Des gouttes froides ont atterri dans mon œil et j'ai lutté contre l'envie de cligner des yeux. J'ai senti le picotement de mille petites aiguilles mais je n'ai pas bronché. Quand elle a approché l'appareil, j'ai retenu mon souffle. Puis tout est devenu noir devant mon œil. Je sentais nettement la présence de cette chose sur ma pupille, sans que cela ne soit douloureux. J'ai regardé fixement devant moi, car il ne fallait pas espérer regarder gaiement autour de soi avec une telle chose collée sur le globe oculaire ! Ensuite, il s'est avéré que cette petite douille n'était même pas le viseur mais seulement un accessoire.

La doctoresse s'est emparée d'une machine de la taille d'un appareil photo environ et l'a emboîtée sur l'accessoire. Je me suis dit: si elle continue à appuyer sur ce machin, elle va m'enfoncer l'œil dans le cerveau et mes pensées vont finir tout bonnement en bouillie. Mais ça ne s'est heureusement pas produit.

J'avoue que ça ne faisait pas vraiment mal, c'était par contre vraiment désagréable et j'avais terriblement chaud. Pourquoi fallait-il qu'elle regarde si longtemps ? Sentant que je commençais tout doucement à trembler de nervosité, j'ai lâché une stupidité dans l'espoir que cela cesse: « Puisque vous en êtes à regarder mes yeux, de quelle couleur sont-ils, au fond ? »

La doctoresse a ri et elle m'a répondu : « Tu te regardes bien de temps en temps dans le miroir ? »

« Oui, ai-je dit, d'après moi, j'ai les yeux verts mais ceux qui me regardent un tant soit peu disent que j'ai les yeux bruns. »

« C'est une mosaïque de toutes les couleurs, a-t-elle dit. Il y a surtout beaucoup de vert, mais aussi toutes sortes de nuances de brun, allant de la couleur du bois à celle de l'or. »

Aïe ! me suis-je dit.

« Est-ce que cet or, c'est du cuivre ? » ai-je demandé, presque sans remuer les lèvres.

« Non, c'est simplement une couleur dorée qui tend vers l'ocre. »

« Ah, et ce vert, c'est le vert des anneaux ? »

« Non, non, non, c'est simplement la couleur de tes yeux. » Elle s'est redressée, a retiré le viseur de l'accessoire et a dit : « Tout va bien. » Elle a détaché l'accessoire de ma pupille, qui a fait un petit bruit de ventouse. J'ai dû me frotter l'œil pour chasser le brin d'air froid qui y restait collé.

« Pas d'anneaux verts ? »

« Pas d'anneaux. »

« Donc, je n'ai pas la maladie de Wilson ? »

« Non, en tout cas pas pour l'instant. Mais tu as un autre examen plus tard dans la semaine, si je ne me trompe ? »

J'ai hoché la tête.

« A ta place, je ne m'en ferais pas, Lucas. Le risque que tu aies la maladie de Wilson est vraiment très faible. »

« Mais le risque que je l'attrape à l'avenir, il est élevé ? »

« On ne peut pas dire grand-chose à ce propos. »

A ce moment, je me suis senti soulagé et en même temps une nouvelle fois coupable. Nous étions des frangins et nous partagions un grand secret, nous étions donc plus semblables encore que des frères ordinaires. Mais, telle une sorte de juge, l'ophtalmologue avait prononcé une sentence provisoire : « Dans l'affaire de la maladie de Wilson, je déclare ces frères différents. » La séparation des frères. Nous dérivions chacun dans une autre direction comme les continents de la Pangée, Maus. Mais, tu l'as toi-même écrit, les continents brisés continuent à dériver et se percutent un beau jour. Faisant naître un nouveau continent. Exactement comme dans mon rêve. La Nouvelle Pangée.

« Mais qu'est-ce que je dois faire maintenant ? ai-je demandé à l'ophtalmologue. Si je reviens la semaine prochaine et que, cette fois, j'ai des anneaux verts, alors ma mort sera inéluctable. »

Elle m'a regardé d'un air très bête.

« Qu'est-ce qui te fait dire une telle chose ? »

« On ne peut rien contre la maladie de Wilson. »

« C'est rigoureusement faux », a-t-elle répliqué d'un air tellement autoritaire et formel que ça m'a troublé.

« C'est la vérité, lui ai-je rétorqué. Notre médecin et le docteur H. ont dit que mon frère serait mort de toute façon. »

« Oh mais, mon garçon, tu as mal compris. Pour ton frère, il était trop tard, mais pas pour toi. A la moindre visite chez le médecin pour un petit bobo, il ou elle prendra la maladie de Wilson en compte. Et il sera encore temps à ce moment-là de la maîtriser au moyen de régimes et de médicaments. Ce que ces médecins ont voulu dire, c'était que la maladie était déjà trop avancée chez ton frère pour que l'on puisse encore faire quelque chose pour lui. Il faut agir tôt. Tu comprends ? »

J'avais manifestement l'air tellement secoué qu'elle m'a présenté un verre d'eau. Ça venait d'une bonne intention, mais je n'en voulais pas et je lui ai demandé si je pouvais partir. Elle a hoché la tête.

Je suis sorti immédiatement de l'hôpital en courant et j'ai cherché un coin tranquille parce que j'éprouvais une nouvelle fois le besoin urgent de chialer. J'étais effondré parce que je comprenais que si les docteurs avaient découvert à temps la maladie dont tu souffrais, tu serais encore en vie. Mais ces idiots ne l'ont découvert qu'une fois que tu étais mort. Trop tard pour toi, mais grâce à toi, pas pour moi. L'idée que tu m'aies sauvé par anticipation si je venais à attraper la même maladie, correspond à ce sacrifice que consentent les frères aînés vis-à-vis de leurs cadets. On lit ça dans tous les contes. C'est ainsi que ces grands frères deviennent des héros. Mais moi pas.

Je chialais aussi de colère. Je me sentais trompé. Parce que ce fichu docteur H. n'a pas de suite tiré la sonnette d'alarme dès qu'il a su de quelle maladie tu étais mort. Il a lambiné près de six mois alors qu'il savait qu'il s'agissait d'une maladie héréditaire qu'il faut impérativement soigner dès le début. Ce salaud a joué avec ma vie ! Il aurait dû immédiatement nous appeler pour nous expliquer combien il était important que je me fasse examiner. Mais il s'est tu pendant six mois. Ce gars aurait à la limite été capable de me laisser mourir si ça l'avait arrangé.

En pédalant sur le chemin du retour, j'ai eu un vent contraire. A juste titre, trouvais-je. Ce que j'avais appris chez l'ophtalmologue m'avait permis d'éliminer le poids de la maladie de Wilson de mes épaules, il était donc normal que quelque chose vienne le compenser. Ne serait-ce qu'un vent contraire.

Je reviens de la chambre d'amis où je suis allé jeter un œil par la fenêtre. Maman a allumé un petit feu presque au pied du cerisier. Elle est assise sur la chaise de la cuisine, dans son manteau d'hiver, et elle balance tes affaires dans le feu.

Quelle bonne idée elle a eue. Heureusement, j'aurai une part dans son rituel en lui apportant ce journal. Ce sera ma manière à moi de te dire adieu. Et je n'ai plus beaucoup de temps, car elle va bientôt entamer le dernier carton.

Malheureusement, je ne détiens toujours pas la preuve irréfutable qui me permettrait de déterminer si je suis encore un frère ou non. J'ai par contre trouvé une réponse qui me semble logique. Par hasard.

Cette nuit, j'ai écrit par erreur : « Lorsque nous vivions encore tous les deux… ». J'étais sur le point de corriger cette phrase car, toi, tu n'es plus en vie mais moi, oui. Je ne l'ai pas fait. C'était bien comme c'était. Toutes sortes de souvenirs que je pensais avoir perdus refaisaient surface. Tu y apparaissais, garçon de dix, douze, quatorze ans. Mais j'apparaissais aussi dans ces souvenirs, garçon de onze, treize, quinze ans. Et tous dataient du 2 septembre, de l'année dernière ou d'une année précédente. Une fois passé cette date, il n'y a plus eu de souvenir dans lequel nous étions frangins. Il n'existe pas de souvenirs où toi tu as quinze ans, et moi, seize. Ces frères-là n'existent pas. C'est un fait.

Tu comprends ce que ça veut dire, Maus ? Lorsque tu es mort, le frère que j'étais est mort aussi. Je t'ai parlé du frisson que j'avais ressenti quand maman a annoncé que tu étais décédé ; ce devait être l'instant où le frangin en moi est mort. Mais ce n'est pas la fin pour autant, car, moi, je vis encore, et les souvenirs que j'ai existent vraiment. Et, cette nuit, j'ai eu le sentiment manifeste qu'une part de toi est restée en vie. On se retrouvait quelque part. Ce n'était pas dans ma chambre, car tu n'étais pas là. Ce n'était pas non plus sur ta tombe ou au ciel, car c'est moi qui n'étais pas là. En fait, peu importe où c'était. On pouvait tout aussi bien se retrouver au milieu de la Nouvelle Pangée, cette belle île qui n'appartient qu'à nous et que personne ne sait situer.

Ce qui importe, c'est que subsiste une part de toi et je crois savoir comment c'est possible. S'il est vrai que tout comme toi, le frangin en moi est mort, alors il est aussi vrai que tout comme moi, le frangin en toi vit encore ! Et c'est on ne peut plus logique, car sinon où serait passé le frangin en toi ? Ce frangin en toi… c'est moi.

Je suis et reste ce frangin et ça continuera, encore et encore, toute ma vie. Je n'ai pas besoin de ce journal pour que ça dure. Puisque tu l'as lu par-dessus mon épaule depuis longtemps.

Au revoir, cher Maus,

ton frère qui t'embrasse.

Soir

Cher Maus,

Je t'avais déjà dit au revoir, mais me revoici car
j'ai une nouvelle à t'annoncer : ce journal ne te
parviendra pas sous forme de fumée. Laisse-moi
te raconter comment ça se fait.

Quand il fut grand temps d'apporter le
journal à maman, je suis descendu. J'ai vu en
passant que la porte du bureau était ouverte,
j'y ai donc jeté un coup d'œil. Papa se tenait
derrière les rideaux, épiant maman par une fente.

« Pourquoi ne prends-tu pas l'autre chaise
de la cuisine pour la rejoindre près du feu ? lui
ai-je demandé. Vous feriez cela à deux. »

« Non, non, non, ta mère doit faire ça toute seule. Je le vis à distance et c'est bien comme ça, a dit papa. Comment ça s'est passé chez l'ophtalmologue, mon garçon ? »

Je lui ai dit en me postant à côté de lui : « Je n'ai pas la maladie de Wilson. »

« C'est bien ce qu'on pensait aussi. Mais je suis soulagé de l'entendre. »

« Moi aussi… Papa, il y a une chose que je ne suis pas sûr d'avoir bien saisie. Cette maladie de Wilson, elle est mortelle ou pas ? » Je désirais savoir si j'étais le seul qui avait mal compris.

« Pour autant que je sache, il n'y a pas d'espoir de guérison. »

Ma première impulsion fut de lui raconter ce que l'ophtalmologue m'avait dit, mais je me suis ravisé parce que papa aurait compris à son tour que ta mort n'était pas inéluctable. Et qui cela peut-il intéresser ? C'est juste une mauvaise nouvelle et ce n'est pas ça qui te fera revenir parmi nous. Si, par contre, je devais attraper la maladie, alors il serait utile de révéler qu'on aurait pu te sauver, puisque cela en deviendrait du coup une bonne nouvelle.

« Je vais dire à maman que tout va bien »,
ai-je repris.

« Ça ne peut pas attendre ? » a demandé
papa. Il a rajusté sa cravate puis il a posé sa main
sur mon épaule. « Non, mais oui, bien sûr, tu
dois lui annoncer la bonne nouvelle. Mais ne va
pas dire à ta mère que je l'observe, hein ? Elle
n'a pas besoin de le savoir. »

Comme je tournais les talons et sortais du
bureau, j'ai aperçu sur le mur le dessin que je
t'ai donné. J'ai eu envie de faire une remarque,
mais je me suis ravisé et suis parti sans rien dire.
Papa a le droit d'hériter du dessin s'il le trouve
beau. Tu es d'accord, non ?

Je suis sorti dans le jardin et me suis dirigé droit
sur maman. Elle en était à la moitié du dernier
carton et elle s'est énervée en me voyant arriver.

« J'ai envie d'être seule, a-t-elle dit avec
hargne, pourquoi est-ce que tu ne veux pas le
comprendre ? »

« Tu n'oublies pas le journal de Marius ? »
ai-je demandé.

« Ne comptais-tu pas le sauver par le fer et le
feu, comme un authentique Don Quichotte ? »

« Non, comme un cygne qui exécute sa dernière danse. » J'ai tendu le journal à maman et je lui ai dit d'un ton plutôt solennel : « Le voici. Il ne te reste plus qu'à le jeter dans les flammes. »

Maman n'a pas bronché. J'ai tendu mon bras plus loin.

« Prends-le donc. »

« Je ne brûlerai pas ce journal », a-t-elle déclaré.

Voilà autre chose ! J'ai regardé maman en écarquillant les yeux.

« Je n'ai jamais eu la moindre intention de brûler son journal », a-t-elle dit sans quitter les flammes du regard. « Une fois de plus, tu as pris ce que j'ai dit à la lettre. Si au moins tu m'avais demandé ce que je comptais faire de son journal, mais non. » Elle a lâché, l'une après l'autre, dans le feu, les sandales en bois que tante Alice t'a offertes. « Tu veux bien me laisser seule, cette fois, mon bonhomme ? »

« Tu as dit que tu allais tout jeter, mais alors tout, dans le feu ! »

« Façon de parler, chéri, façon de parler. Tu ne penses quand même pas que je vais brûler des livres ! Ça ne se fait plus depuis Hitler. »

J'avais du mal à respirer. En un clin d'œil, elle m'avait privé de ma part de rituel. Je sentais la colère monter en moi et je me suis dit : puisque c'est comme ça, c'est moi qui vais le jeter aux flammes ! Mais je ne l'ai pas fait. J'en étais incapable. Etre l'unique responsable de la disparition de tes pensées par le feu représentait un pas que je me refusais à franchir. Mais ça voulait dire du même coup que je pouvais dire adieu à mon beau projet.

Il aurait dû être des plus superbes, ce moment où j'aurais remis notre journal à maman. Elle l'aurait brûlé et moi, je n'aurais été coupable de rien. Bien mijoté. Mais maman n'a pas fait ce que j'attendais d'elle et je n'ai pas osé détruire ton journal moi-même. J'avais l'impression d'être un lâche, chose que je refusais catégoriquement d'être.

Il m'a fallu moins d'une seconde pour prendre une décision importante. Mes genoux se sont mis à flageoler doucement et j'ai senti ma gorge se nouer. Je n'osais pas agir, mais je me suis dominé. Le rituel de maman ne pouvait pas se terminer sans que je n'aie accompli quelque chose de considérable. Un rituel bien à moi et encore plus grandiose que ce qu'elle avait pu imaginer. J'ai su comme par miracle comment j'allais introduire le sujet. Je lui ai demandé: « Tu ne veux pas savoir comment ça s'est passé à l'hôpital ? » Je percevais les hésitations de ma voix. Comme maman ne réagissait pas, j'ai insisté.

« Tu dis toujours que c'est grave, mais que ça pourrait être pire et que donc tout va super bien. J'ai une mauvaise nouvelle mais j'en ai heureusement aussi une bonne. » Je sentais battre mon cœur comme s'il voulait sortir de ma cage thoracique. « La bonne nouvelle, c'est que je n'ai pas la maladie de Wilson… » et j'ai encore respiré un bon coup avant de terminer ma phrase.

« Je le sais depuis longtemps », a dit maman et, hop, la carte d'Europe a valsé dans les flammes. « Tu ne pensais tout de même pas sérieusement que j'allais me résigner à attendre ton retour ? Il y a belle lurette que j'ai appelé l'hôpital. »

Cela m'a fait l'effet d'une gifle.

« Tu ne pouvais pas attendre ? ai-je crié. Je voulais te l'annoncer moi-même ! »

« C'est ça, pour que tu me fasses croire que tu as l'œil gauche aveugle et le droit atteint de cataracte, et que tu dois sécher les cours pendant quinze jours. »

Ne pas broncher, ai-je pensé, même si j'avais envie de la frapper. Comme si j'allais inventer des salades pour une chose d'une telle importance. Elle n'avait pas confiance en moi et désirait me le faire sentir. Mais il fallait que j'aille jusqu'au bout, maintenant ou jamais, et, reprenant, j'ai prononcé les phrases les plus importantes que j'aie dites de vive voix au cours de mon existence : « J'ai une bonne et une mauvaise nouvelle. La bonne, c'est que je n'ai pas la maladie de Wilson et que, donc, je vais continuer à vivre, et la mauvaise, c'est que… je préfère les garçons aux filles. »

C'était dit. Je l'avais dit et on avait pu l'entendre. Il ne restait plus qu'à attendre les conséquences. J'ai regardé en l'air pour guetter l'arrivée d'un ouragan ou d'un message, au cas où, malgré tout, tu me communiquerais quelque chose de là-haut. Des nuages traversaient le ciel et j'ai tout à coup eu l'impression que tu me faisais signe.

Maman regardait les flammes sans rien dire. Puis, elle a soupiré.

«Ça ne me fait pas particulièrement plaisir, a-t-elle dit d'un ton plutôt neutre, et j'aurais aimé qu'il en soit autrement, mais la nouvelle ne me fait pas l'effet d'une bombe.»

«Qu'est-ce que tu veux dire? lui ai-je demandé très étonné. J'en suis un!»

«Je ne suis pas sourde», a dit maman. Elle attisait le feu avec le tisonnier du salon. «Nous serions de mauvais parents si nous ne connaissions pas un peu notre propre fils.» Le soupir le plus profond que j'aie jamais entendu. «Tant que tu es heureux, mon garçon, c'est le principal.»

A l'intérieur de moi, ça bouillonnait et écumait comme jamais. J'étais rempli de colère, de joie, de désespoir, de gratitude, de rage, véritablement hors de moi et l'ouragan que j'attendais ne venait pas d'en haut mais se ruait vers la porte de sortie à travers mes entrailles. J'ai crié: «Mais je ne suis pas du tout heureux. Justement parce qu'à cause de moi, vous ne pourrez jamais l'être.»

«Tu n'as pas à te faire de souci pour nous, a repris maman. Tu ne dois pas te sentir responsable du bonheur de ton père et du mien. Occupe-toi de ton propre bonheur.»

« Mais essaie de comprendre, ai-je crié. A cause de moi, vous n'aurez pas de petits-enfants ! »

« Eh bien, on prendra un chien, mon bonhomme, a-t-elle dit impassible. Ou un chat, si ton père préfère. » Elle a remué une nouvelle fois le tisonnier dans les flammes et m'a regardé un instant dans les yeux. « On peut espérer avoir des petits-enfants, mais ce n'est pas un droit en soi. »

Je ne savais que penser. Mon cerveau faisait la roue dans ma boîte crânienne et je sentais venir une douleur du plus profond de ma tête.

« Oh, alors vous saviez déjà que j'étais malheureux et pourquoi je l'étais, ai-je crié avec colère, mais vous m'avez laissé pédaler dans la semoule, alors que c'était tout à fait inutile ! »

« Bon, calme-toi, a-t-elle ordonné. Nous n'en étions évidemment pas certains. Tant que nous n'en parlions pas, il n'y avait rien de définitif. Rien n'était exclu. » Elle a ajouté, plus pour elle-même qu'à mon intention : « Tu es encore si jeune. »

« Mais vous auriez au moins pu une fois, une seule fois, ne fût-ce que par des généralités ou une simple allusion, me signaler que ça existait ? Que cela avait un nom ? Ce n'était tout de même pas difficile de me faire comprendre que je n'étais pas le seul au monde dans le cas ? » Ma lèvre inférieure tremblait, je l'ai mordue.

« Bon, je ne vais pas te raconter des sornettes, a dit maman. Ton père et moi espérions que tu sois malgré tout hétéro. Mais en effet, puisque les choses sont ce qu'elles sont, il aurait peut-être été plus intelligent de t'en toucher un mot… » Elle n'a pas continué sa phrase et a lancé tes serre-livres dans le feu. « Tu veux me laisser seule à présent ? Nous en reparlerons ce soir, quand papa sera là. »

Je me suis retourné et j'ai vu papa derrière les rideaux. Le monde tournait comme une toupie et j'avais la gorge nouée parce que j'avais osé révéler mon secret. Et tout ce que je recevais en retour, c'était que cette nouvelle ne faisait pas l'effet d'une bombe.

« Vous vous disiez que ça passerait sans doute ? » ai-je crié, sans plus essayer d'empêcher ma lèvre de trembler. « Mais vous êtes monstrueux ! C'est pour vous que je me suis tu pendant tout ce temps, parce que je croyais que je vous rendrais malheureux. Et vous, de votre côté, vous me laissiez crever ! »

« Arrête ton numéro, s'il te plaît, a crié maman. Pas un père, pas une mère n'encourage l'homosexualité. Ils seraient fous de le faire. On n'expédie pas son enfant dans le gouffre de la discrimination et de la moquerie. Personne ne souhaite ça pour son enfant. »

« Mais vous aviez tout de même remarqué que l'on se moquait de moi ? Et ça, vous trouviez que c'était souhaitable ? »

« Lucas, nous en reparlerons ce soir. »

« Et maintenant que la situation est ce qu'elle est, je devrais subitement être heureux ? Par la force des choses. »

« Si tu es certain, à seize ans, soit dit en passant, d'être homo, m'a dit maman d'un ton narquois, je me fais une raison. Je dirais : cherche-toi un ami ou, si tu en as déjà un, amène-le à la maison. Je ne ferai pas la difficile. Garçon ou fille, ce sera toujours une traînée qui n'est pas assez bien pour mon fils. »

« Mais oui, maman, c'est rigolo. »

« Je pourrais très bien me mettre à pleurnicher, mais je ne peux quand même rien y changer. »

« Et papa ? » J'ai une nouvelle fois tourné mon regard vers la vitre derrière laquelle il se trouvait, sans pouvoir entendre ce que nous disions.

« Ton père s'en est aperçu avant moi. Il s'en doute depuis que tu as trois ans. »

« Pourquoi n'avez-vous jamais voulu m'aider un tant soit peu ? » ai-je demandé doucement en m'enfonçant suffisamment les ongles dans les paumes pour que la douleur me rappelle celle que j'avais dans la tête. « Tu prétends tout à coup qu'il est important que je sois heureux, mais quand je ne l'étais pas et que vous en connaissiez la raison, vous vous en fichiez éperdument. Tout ça, parce que vous espériez secrètement avoir un fils hétéro. »

« Oui, Lucas, c'est bien ça. Tu te répètes. Je n'ai plus envie d'en parler. Pas maintenant. Pour l'instant, c'est Marius qui occupe mes pensées. Laisse-moi un peu tranquille, s'il te plaît. »

Mes genoux s'entrechoquaient de nervosité et je ne savais plus que dire. Je n'arrivais pas non plus à déterminer ce que je devais ressentir tant j'étais dans le cirage. Sacrifier ce journal ne faisait pas de moi un héros, révéler mon secret, non plus. Car, la bonne blague, c'est que papa et maman étaient déjà au courant et qu'ils me l'ont caché au cours de presque toute mon existence. Et m'ont volontairement laissé en plan pendant tout ce temps. Pourquoi? Parce qu'un enfant homo n'a droit au bonheur que s'il n'y a pas le moindre espoir qu'il soit hétéro! Comme si j'avais eu à choisir.

J'ai tourné les talons et suis rentré dans la maison en courant. J'ai monté les escaliers en vitesse et, une fois dans ma chambre, je me suis mis à faire les cent pas. J'essayais de réfléchir clairement à la situation et de me calmer, mais pas moyen, c'était le chaos dans ma tête. Je sentais tout à coup peser un tel poids sur mes épaules. Toute ma vie, je m'étais fait à l'idée que je ne serais jamais heureux, pensant épargner ainsi un peu de chagrin à papa et maman. Et il s'avérait maintenant que si j'avais crié depuis le début que j'étais singulier, ils m'auraient répliqué: «Ça fait longtemps que nous le savions.»

Mais une autre évidence s'imposait progressive-ment à moi : à force d'y penser, je prenais tout à coup conscience du fait que maman m'acceptait tel que j'étais, sans imposer de conditions ou brandir de menaces, et venant d'elle, c'était exceptionnel. Elle n'essayait pas de me faire changer d'avis. Elle ne pleurait pas pour me montrer combien je la rendais malheureuse. Elle ne me menaçait pas non plus de cesser de m'aimer. Elle ne me fichait pas à la porte, ne m'enfermait pas à la cave mais restait simplement ma mère. Ma mère à moi. Elle acceptait ce fait et passait simplement à autre chose. A vrai dire, elle me laissait entièrement libre d'être celui que je suis. Et je pense que c'était la première fois, la toute première fois de ma vie !

Mon secret n'en est plus un. Après coup, je ne comprends pas comment j'ai pu oser le révéler, mais je sentais que je devais le faire. Tu vois, Maus, mon acte superbe aurait dû consister à me défaire de notre journal, mais quand ça s'est révélé impossible, il ne m'est resté qu'une seule chose à faire pour que mon beau projet ne soit pas réduit à néant. Si le journal qui contient mon secret n'était pas détruit, il fallait que mon secret le soit. Et c'est ce que j'ai fait. Ouf !

Je me sentais tout doucement exulter. Comme si j'avais gagné un prix ou une médaille et que je n'en croyais pas mes yeux. Peut-être est-ce ça se sentir heureux. J'avais en tout cas extrêmement envie de lever mon poing en l'air à la manière d'un champion. Je me sentais fier de moi, de ce que je suis et de ce que j'avais osé faire. J'avais tout à coup envie de faire quelque chose de fou. Rien ne pourrait être assez fou.

A peine un quart d'heure plus tard, je revenais dans le jardin muni d'un panier à provision. Les cartons de maman étaient vides et elle fixait du regard le tas de cendres encore fumantes. J'ai posé le panier par terre, en ai sorti le gâteau que je venais d'acheter à la boulangerie du coin, puis douze petites assiettes.

J'ai fait semblant de ne pas voir maman tout en ayant depuis longtemps surpris son visage stupéfait. J'ai renversé le panier, et toute notre argenterie s'est répandue dans le sable au pied du cerisier, dans un concert de cliquetis.

« Qu'est-ce que tu fais ? » a-t-elle glapi en voyant que je dressais soigneusement la table autour de son feu, fourchettes à gauche et couteaux à droite. Les préparatifs d'un majestueux dîner.

« Ça se voit, non ? ai-je dit. C'est l'anniversaire de Marius et tu as oublié d'acheter un gâteau. »

« Qu'est-ce que c'est que cette idiotie ? Enfin, du moment que tu sais que c'est toi qui astiqueras l'argenterie souillée. »

« Parfait », ai-je dit et j'ai coupé le gâteau en douze parts que j'ai disposées sur douze assiettes.

« Un morceau ? » ai-je demandé.

« Non, je fais régime et tu le sais très bien. »

« Pas de gâteau, alors. »

Maman est restée un instant indécise, les mains sur les hanches, puis elle a haussé les épaules et a dit d'un air indifférent : « Vas-y, mon garçon. Mais tu me feras le plaisir de tout ranger tout à l'heure, y compris les cendres et la chaise et les cartons vides. Et il serait grand temps d'enlever les mauvaises herbes. Et pendant que tu y es, tonds carrément la pelouse, d'accord, mon bonhomme ? »

« Mais bien sûr, maman », ai-je dit docilement.

« Drôle de spécimen », l'ai-je entendu dire d'une voix étouffée, et ça m'était complètement égal. Elle s'est retournée et s'est dirigée vers la porte du jardin.

J'ai commencé, comme un idiot, à engloutir les parts de gâteau, une à une, en avançant à chaque fois la chaise d'une place autour du feu de camp fumant. Cela signifiait : un morceau de gâteau pour toi et un morceau pour moi, un morceau pour un Indien absent, pour un Tzigane en vadrouille, pour papa et maman et mamie, pour Alex. Pour tous ceux qui pensent encore à toi parfois. Mais après avoir avalé trois morceaux de gâteau, j'ai senti que je serais malade comme un chien le lendemain, je me suis donc résolu à avaler de minuscules bouchées, comme celles que Blanche Neige picorait dans les assiettes des sept nains.

Tout à coup, papa a déboulé de la maison, tenant la deuxième chaise de la cuisine dans sa main droite, et maman par la gauche.

« Il reste du gâteau ? » a-t-il demandé.

« Ce n'est pas ça qui manque », lui ai-je dit.

Papa s'est assis sur la chaise qu'il avait apportée et je me suis dépêché de me lever parce qu'il voulait installer maman sur la mienne.

« Bon, très bien, a-t-elle dit. Donne-m'en aussi un tout petit bout. Du moment qu'on ne m'oblige pas à chanter joyeux anniversaire. »

Ce n'était ni l'intention de papa, ni la mienne. Papa aurait par contre bien aimé savoir pourquoi j'avais jeté l'argenterie immaculée dans le sable, mais il a attendu que son assiette soit vide pour me poser la question.

« Lorsque Marius est mort, ai-je répondu, j'ai oublié d'aller l'échanger contre l'argenterie ».

« Oh ! » se sont exclamés papa et maman. Et cela m'a amusé de voir qu'ils ignoraient tous deux complètement ce que j'entendais par là.

Maus, j'ai lavé les assiettes, fait disparaître les cendres et rapporté les chaises à la cuisine. J'ai plié les cartons et je les ai portés au garage. J'ai tondu la pelouse et enlevé les mauvaises herbes. Et maintenant j'arrête d'écrire. Je dois m'en aller. Il est grand temps. Il me reste à astiquer l'argenterie mais, après, je veux aller en ville pour voir si, dans l'agitation du carnaval, quelqu'un me reconnaît quand je suis déguisé dans mes propres habits. Et puis la vie normale reprend son cours. A savoir qu'il y a toujours géographie à la première heure et comptabilité à la troisième. Donc je te dis au revoir, Maus. Au revoir. Tu prendras bien soin des frangins que nous étions ? Je prendrai soin de ceux que nous sommes.

Salut,

Luc

Ouvrage publié avec le concours de la Fondation
pour la production et la traduction de la littérature néerlandaise.

TITRE ORIGINAL: *GEBR*
© 1996 TED VAN LIESHOUT
PUBLIÉ POUR LA PREMIÈRE FOIS PAR LES EDITIONS VAN GOOR, AMSTERDAM

POUR LA PRÉSENTE ÉDITION EN FRANÇAIS:
© ÉDITIONS LA JOIE DE LIRE SA
2 BIS, RUE SAINT-LÉGER, CH-1205 GENÈVE
TOUS DROITS RÉSERVÉS POUR TOUS PAYS
ISBN 2-88258-206-4. DÉPÔT LÉGAL: AOÛT 2001
IMPRIMÉ EN FRANCE

CET OUVRAGE
A ÉTÉ ACHEVÉ D'IMPRIMER
SUR ROTO-PAGE
PAR L'IMPRIMERIE FLOCH À MAYENNE
EN JUILLET 2001 (51968)